Collection **marabout service**

D0992839

Albert HAMON

Guide
de grammaire

Sommaire

PRÉFACE

Orthographe et Conjugaison sont tributaires de Grammaire. Bien des erreurs, bien des horreurs les concernant peuvent se soigner, se guérir, dès lors qu'on maîtrise mieux la grammaire, dont les deux piliers sont :
– la **Morphologie** (il est indispensable de bien connaître, de bien cerner les 9 espèces de mots de la langue :
les 5 espèces «variables» : article, nom, adjectif, pronom et verbe ;
les 4 espèces «invariables» : adverbe, préposition, conjonction et interjection) ;
– la **Syntaxe** (il n'est pas mauvais, pour bien comprendre sa langue, de savoir «analyser», c'est-à-dire distinguer :
les rôles, les «fonctions» des divers mots dans la «proposition» – c'est le domaine de «l'analyse grammaticale» ;
les rôles, les «fonctions» des diverses propositions dans la «phrase» – c'est le domaine de «l'analyse logique»).

L'écrit, de nos jours, semble céder du terrain devant l'oral, mais il n'est pas à l'agonie : à chaque instant, chacun de nous est amené à prendre la plume (lettre, rapport, devoir d'écolier ou d'étudiant...), et la Grammaire retrouve ses droits, sa toute-puissance. Avec elle comme alliée, comme complice, les pièges de l'orthographe, de la conjugaison, qui nous guettent, s'évanouissent comme par enchantement.

On peut certes vivre sans grammaire, mais on le fait moins bien ! Et la langue française mérite qu'on la respecte : il lui reste encore de beaux jours à vivre...

A. HAMON.

ABRÉVIATIONS ET SIGNES

§ : paragraphe
act. : actif, voix active
adj. : adjectif
adv. : adverbe
App. : Appendices
c. : complément
c.-à-d. : c'est-à-dire
c. c. : complément circonstanciel
cf. (latin) : confer (= comparez)
circ. : circonstanciel(le)
c. o. : complément d'objet
c. o. d. : complément d'objet direct
c. o. i. : complément d'objet indirect
condit. : condition(nel)
conj. : conjonction
conjug. : conjugaison
etc. (latin) : et cetera (voir Index)
ex. : exemple
f. : féminin
f. : forme
fut. : futur
f. a. : futur antérieur
gr. : groupe
id. (latin) : idem (= la même chose)
impér. : impératif
impft : imparfait
indic. : indicatif
interr. : interrogatif
intr. : intransitif

lat. : latin
m. (masc.) : masculin
N.B. (latin) : nota bene (= notez bien)
n. c. : nom commun
ns : nous
p. p. : participe passé
p. p. p. : participe passé passif
p. pr. : participe présent
passim (latin) : (= çà et là)
pl. (plur.) : pluriel
pple : principale
p. q. p. : plus-que-parfait
préf. : préfixe
prép. : préposition
prés. : présent
pr. pers. : pronom personnel
pron. : pronom
prononc. : prononcer
prop. : proposition
P.S. (latin) : post-scriptum (= écrit après)
rad. : radical
réfl. : réfléchi
s. : siècle
s. : singulier
sq. (latin) : et suivant(s)
sub. : subordonné(e)
subj. : subjonctif
suff. : suffixe
superl. : superlatif
tr. : transitif
vs : vous

N.B. L'abréviation de *Monsieur* est M. et non Mr. (Mr. est l'abréviation anglaise de *Mister*).
Pour l'emploi de l'*astérisque* (*), voir § 14 (fin) et N.B.

PRÉLIMINAIRES

La phonétique

Le vocabulaire

La phonétique

1 – DU SON AU MOT

A – LETTRES ET SONS

a) Les lettres de l'alphabet

1. La langue, la belle, la riche langue française n'utilise que 26 signes, 26 **lettres,** qui constituent son **alphabet.** Ces lettres se rangent dans un ordre rigoureux, l'**ordre alphabétique,** utilisé dans la présentation des index, des lexiques, des dictionnaires, et qu'il importe de bien connaître par cœur :

a, b, c, d, e, f, g, h, i, j, k, l, m, n, o, p, q, r, s, t, u, v, w, x, y, z.

L'alphabet français est calqué sur l'alphabet **latin,** mais le mot *alphabet* est formé avec les 2 premières lettres **grecques** : *alpha* (a) et *bêta* (b).

N.B. Chacun connaît le mot «**abécédaire**», formé sur a, b, c, d, et signifiant «livre d'apprentissage de la lecture»; et chacun sait que les premiers éléments d'une science, d'un art, cela s'appelle l'**ABC.**

2. On distingue les lettres **majuscules** et les lettres **minuscules** (les majuscules étant dites «**capitales**» en caractères d'imprimerie). L'emploi ou non de majuscules est important, et permet de distinguer, par exemple :

> Le **Français** est difficile (il s'agit de l'**homme,** du citoyen, gastronomiquement ou psychologiquement parlant);
> Le **français** est difficile (il s'agit de la **langue,** avec ses subtilités : orthographiques, lexicales, syntaxiques et autres).

Comparons :

> L'Anglais, l'Allemand, l'Italien sont des Européens;
> L'anglais, l'allemand, l'italien sont des langues européennes.

b) Les lettres et les sons

3. Des 26 lettres de l'alphabet, 6 sont appelées **voyelles** (a, e, i, o, u, y); les 20 autres sont des **consonnes.**
● la **voyelle** représente un son plein et peut se prononcer isolément.

● La **consonne,** comme son nom l'indique (con- = latin *cum* = avec), ne peut sonner, ne peut s'entendre, qu'en compagnie d'une voyelle :

> *t ne peut s'entendre que flanqué d'un é : té;*
> *f se dit ef (ou effe) ; m se dit em (ou emme), etc.*

4. Ces 26 lettres se combinent de multiples façons pour émettre des sons très variés, dont l'étude s'appelle la **phonétique.** Sans entrer dans le détail de cette science subtile et délicate, disons qu'on distingue :

a) les **sons-voyelles :** lettres-voyelles pures, groupes de lettres-voyelles, voyelles nasales :

> *rame, menu, rite, colis, repu, cygne;*
> *eau, fléau; ou, où, goût; feu, nœud;*
> *an, rampe; brin, pain; brun, parfum; fonte, tombe, lumbago.*

b) les **sons-consonnes :** lettres (simples ou doubles), groupes de lettres-consonnes, groupes consonne + voyelle :

> *balai, ballet; plafond, affront; rater, flatter;*
> *chat, agneau, photo, conscience;*
> *pigeon, mangeons; bague, guide; quatre, coquet.*

c) les **semi-voyelles** *i, u, ou* (à ne pas confondre avec les **sons-voyelles** *i, u, ou;* voir ci-dessus), qui, précédant une voyelle, forment corps avec elle, jouant pratiquement rôle de consonne; c'est pourquoi on les appelle aussi **semi-consonnes :**

> *pied, rien; tuile, lui; fouet, oui.*

N.B. On constate donc qu'il y a plus de **sons** que de **lettres :** 36 sons au lieu des 26 lettres de l'alphabet officiel; pour s'en convaincre, voir «**l'Alphabet phonétique**» (§ 481-482).

5. Divers organes interviennent dans l'émission de tous ces sons : les poumons, les cordes vocales, le voile du palais, la langue et les lèvres. C'est ainsi que pour les consonnes, arrêtées dans leur émission à tel ou tel endroit, on distingue :

● les **labiales** (l'arrêt se situe au niveau des **lèvres**) :

> *p (pas); b (bas); f (fat); v (vent); m (mou);*

● les **dentales** (l'arrêt se situe au niveau des **dents**) :

> *t (ton); d (don); s (son); z (zut); n (non); l (lait);*

● les **palatales** (l'arrêt se situe au niveau du **palais**) :

> *c (car); g (gong); ch (char); j (jonc); r (rat); gn (agneau).*

N.B. Quand les cordes vocales vibrent, on a des **sonores;** quand elles ne vibrent pas, on a des **sourdes :**

> *b, v, d, z, g, j (sonores); p, f, t, s, c, ch (sourdes).*

6. Remarques

a) Pour certains problèmes de **prononciation** des sons, voir Appendices, § 474 et suivants;

b) La consonne *h* est tantôt **muette,** tantôt **aspirée** (cf. § 478) :

> *l'homme, l'herbe; le héros, la haine;*

c) La consonne *c* prend une **cédille** devant *a, o, u,* pour rendre le son «s» sourd :

> *forçat, rançon, reçu* (exception : ***douceâtre*);

d) Une voyelle est souvent surmontée d'un **accent** (aigu, grave, circonflexe); cela permet de distinguer :

> *a* et *à; la* et *là; ça* et *çà; ou* et *où;*
> *pécheur* et *pêcheur; sur* et *sûr; roder* et *rôder...*

e) Les voyelles *e, i, u* prennent un **tréma** quand on veut les détacher de la voyelle **qui précède :**

> *aiguë, ciguë; païen, stoïque; capharnaüm, Saül...;*

cela permet de distinguer :

> *mais* et *maïs; aigue (aigue-marine)* et *aiguë; saule* et *Saül.*

B − SYLLABES ET MOTS

a) La syllabe

7. Les sons se groupent en syllabes. La **syllabe** se présente sous l'aspect d'une ou plusieurs lettres, plus exactement sous l'aspect d'un **son :**

> *Mais/ ô/ mon/ cœur/, en/tends/ le/ chant/ des/ ma/te/lots.*

Cette phrase (ce vers) de Mallarmé se prononce, s'articule en 12 syllabes; elle contient 9 mots, le plus court (ô) fait d'une lettre, d'une syllabe, le plus long (matelots) de 8 lettres et 3 syllabes.

Lettres, sons, syllabes s'allient en d'innombrables combinaisons pour former les très nombreux **mots** (plus de 100 000) de la très riche langue française.

b) Le mot

8. Le **mot** est donc formé d'un **son,** ou d'un **groupe de sons,** ayant un sens complet, et évoquant un être, une chose, ou une idée.

Les mots de la langue française peuvent être :

● soit **très courts** (une syllabe, un son, une lettre); ce sont les **mono-syllabes**:

> grand, long; oui, ou, où; en, un, an; à, a, ô, y;

comme dans le célèbre vers de Racine, fait uniquement de monosyllabes:

> Le/ jour/ n'est/ pas/ plus/ pur/ que/ le/ fond/ de/ mon/ cœur;

● soit **plus longs** (faits de plusieurs syllabes); ce sont les **polysyllabes**
– le plus souvent formés de deux, trois ou quatre syllabes:

> petit; maternel; admiratif;

– plus rarement **très longs**:

> anticonstitutionnellement (25 lettres, 9 syllabes).

9. Les mots français se répartissent en 9 **espèces** ou **catégories**:
5 de mots **variables** (nom, article, adjectif, pronom, verbe);
4 de mots **invariables** (adverbe, préposition, conjonction, interjection).
La grammaire les étudie d'un double point de vue:
● celui des formes: domaine de la **morphologie** (§ 44 sq);
● celui des emplois: domaine de la **syntaxe** (§ 285 sq).

2 – DU MOT À LA LANGUE

A – DU MOT À LA PHRASE

10. Dans la langue, parlée ou écrite, on peut exprimer une idée complète
● soit par un seul **mot**:

> Silence! – Entrez – Merci – Pourquoi?

● soit par un seul **groupe de mots**:

> Allez-vous-en – Au secours! – Le beau clair de lune!

● soit, plus souvent, par un **ensemble de mots** et de groupes de mots plus riche, plus complexe, que l'on appelle une **phrase**:

> J'espère que vous viendrez nous voir l'été prochain.

11. La phrase est un ensemble de mots dont le sens général forme un tout.
● Elle peut être formée d'une seule **proposition**:

> Un véritable ami est un bien rare et précieux.

● Mais plus souvent elle en contient plusieurs, jusqu'aux longues «périodes» de certains écrivains ou tribuns politiques. On distingue les propositions **indépendantes, principales, subordonnées** (Syntaxe § 357 sq).

B – LANGUE PARLÉE, LANGUE ÉCRITE

12. La langue **parlée,** fondée sur la communication **orale,** accorde une importance majeure à l'**intonation;** c'est elle seule qui permet à votre interlocuteur de distinguer :

> Paul sera là **(affirmation);**
> Paul sera là? **(interrogation);**
> Paul sera là! **(exclamation,** de joie, ou de dépit).

Tout être parlant (tout **locuteur**) doit, pour se faire comprendre, accentuer, rythmer sa phrase de telle ou telle façon, selon qu'il dit, par exemple :

> Je te l'ai dit hier **(affirmation,** plus ou moins nette, ou sèche, selon le contexte du dialogue en cours); ou bien :
> Je te l'ai dit hier! **(exclamation indignée;** sous-entendu : «comment peux-tu affirmer une telle chose!»).

Cela s'appelle **«l'accent de la phrase».**

13. La langue **écrite,** qui ne dispose ni de la voix ni de l'intonation, doit, pour se faire comprendre du lecteur, utiliser des signes conventionnels, appelés **signes de ponctuation,** qui seuls permettent de distinguer, par exemple :

> Paul dit : «Pierre est un sot» et
> Paul, dit Pierre, est un sot.

La **ponctuation** est le vêtement indispensable de la langue écrite. Elle est, disait Albert Dauzat, «une politesse à l'égard du lecteur». Elle nous permet de bien comprendre, de bien lire, de bien dire (à voix haute) un texte écrit.

14. Les signes de ponctuation utilisés en français sont :

– le **point** (.), signe essentiel; il termine la phrase :

> Ce robuste vieillard se portait comme un charme.

– le **point d'interrogation** (?), qui remplace le point dans l'interrogation :

> Préférez-vous le théâtre au cinéma?

– le **point d'exclamation** (!), qui remplace le point dans l'exclamation :

> Quel beau temps nous avons eu hier!

– les **points de suspension** (au nombre de trois) (...), qui marquent soit un arrêt de la parole (hésitation, silence lourd de sens), soit une interruption (parole coupée par un interlocuteur), soit un mot réduit à son initiale :

> Messieurs et chers administrés ... Messieurs et chers admi...
> Messieurs et chers ... (Daudet);
> Sonnet à Mme F... (Baudelaire).

– la **virgule** (,), qui sépare deux mots, deux groupes de mots ou deux propositions :

> J'ai invité Pierre, Paul, Jacques, mes meilleurs amis.

– le **point-virgule** (;), qui marque un arrêt plus important que la virgule et sépare deux propositions :

> Il est parti hier; il reviendra le mois prochain.

– les **deux points** (:), qui annoncent une énumération ou une explication, ou qui précèdent des guillemets :

> Elle aime tout : la mer, la montagne, la campagne.

– les **guillemets** (« »), qui encadrent les paroles rapportées d'une ou plusieurs personnes (on «ouvre» et on «ferme» les guillemets) :

> L'homme nous répondit : «Où dois-je donc me rendre?»

On emploie aussi les guillemets (mais non précédés de deux points) pour mettre en valeur (pour souligner) un mot, une expression :

> L'enfant s'encourageait; il s'agissait de se montrer «un homme».

– les **parenthèses** ( ), qui isolent un mot, un groupe, une proposition, une phrase :

> J'aimerais (pardonnez mon audace) vous demander un rendez-vous.

– le **tiret** (–), à ne pas confondre avec le trait d'union, qui peut jouer le même rôle que les parenthèses, ou qui annonce, dans un dialogue, un changement d'interlocuteur :

> «Viendras-tu demain? – Non. – Jeudi? – Peut-être.»

– les **crochets** [ ], qui remplacent les parenthèses lorsque celles-ci sont déjà utilisées dans le même passage, ou qui encadrent les sons représentés en alphabet phonétique (voir Appendices § 481-482) :

> un [œ̃] chercheur [ʃɛrʃœr]; une [yn] invention [ɛ̃vɑ̃sjɔ̃].

– l'**astérisque** (*) = «petite étoile», qui indique un renvoi, ou qui abrège un nom propre par souci de discrétion (voir ci-dessus pour les points de suspension), ou qui précède un mot n'existant pas sous la forme représentée :

> Ils se sont rencontrés chez Mme de R* (ou bien Mme de R***).
> Le mot «désuet» se prononce *dé-ssué, et non *dé-zué.

N.B. Le mot «astérisque» est masculin et non féminin (voir § 53).

C – LIAISONS, ÉLISIONS

a) Liaisons

15. Quand on parle, quand on lit (à voix haute), on constate que la liaison entre deux mots tantôt se fait, tantôt ne se fait pas :

> *deux frères* (pas de liaison); *deux amis* (liaison : *zami).

16. La **consonne finale** d'un mot :
– **ne se prononce pas** devant un mot commençant par une consonne ou un *h* aspiré :

> *très grand; trop bas; pousser les hauts cris;*

– **se prononce** devant un mot commençant par une voyelle ou un *h* muet :

> *très aimable; trop horrible; un grand homme; un bon ami.*

17. Devant une voyelle ou un *h* muet, la liaison est tantôt **obligatoire,** tantôt **interdite,** tantôt **facultative.** Elle est :
● **obligatoire** dans un groupe uni par la grammaire et par le sens (article + nom; adjectif + nom; pronom + verbe; verbe *être* + attribut; auxiliaire + participe; adverbe + mot qu'il modifie) :

> *les amis, les hommes; chers amis, son horloge; vous aimez, elles hésitent; il est habile, elles sont utiles; ils ont osé, nous avons hérité; trop aimable, très uni(e)s ...*

● **interdite :** après *et;* après un nom singulier terminé par une consonne muette; entre 2 mots faisant partie de 2 groupes différents; devant *oui, onze, onzième :*

> *rusé et habile; un lou(p) inquiétant; allons, ordonna-t-il;*
> *des oui aimables; ses onze cousins; les deux onzièmes...*

● **facultative :** entre nom + adjectif (ou complément); entre verbe + complément; entre sujet + verbe :

> | | |
> |---|---|
> | *des amis (*z)intimes* | *ou des amis / intimes;* |
> | *des gens (*z)en danger* | *ou des gens / en danger;* |
> | *il partit (*t)aussitôt* | *ou il partit / aussitôt;* |
> | *songer (*r)à l'avenir* | *ou songer / à l'avenir;* |
> | *ses parents (*z) ont ri* | *ou ses parents / ont ri...* |

18. Remarques
a) Une liaison, faite ou non, permet de **distinguer,** par exemple :

> *un savant (*t) aveugle* (c'est **l'aveugle** qui est savant) et
> *un savant / aveugle* (c'est **le savant** qui est aveugle).

b) Attention aux **liaisons fautives** («mal (*t) à propos», comme on dit par moquerie), si fréquentes avec **pas** et **point** :

> *ce n'est point (*z) à moi (ou pas (*t) à moi) de jouer.*

Ces erreurs, ces «cuirs» s'appellent souvent des *«pataquès»*.

b) Élisions

19. Dans la langue (**parlée** ou **écrite**) les **voyelles** *a, e, i* ne se prononcent ni ne s'écrivent en fin de mot, devant un mot commençant par une voyelle ou un *h* muet. Cela s'appelle une **élision**, figurée dans l'écriture par un signe nommé **apostrophe**.

L'élision se fait :

● dans les **articles** *le* et *la*; les **pronoms personnels** *je, me, te, se, le, la*; le **pronom démonstratif** *ce*; le **pronom relatif** ou **interrogatif** *que* :

> *l'art, l'ardeur; j'hésite, tu m'aimes, je t'imite, il s'habille, je l'ouvre; c'est bien; celle qu'il aime; qu'as-tu dit?*

● dans les **prépositions** *de* et *jusque*; l'**adverbe de négation** *ne*; dans *si* devant *il* ou *ils*; dans la **conjonction** *que*; dans *lorsque, puisque, quoique* (seulement devant *il, ils, elle, elles, en, on, un, une*) :

> *un bol d'air; jusqu'au soir; on n'entend rien; s'il vient, dis-moi s'il aime le poisson; je sens qu'elle ment; lorsqu'il vient; puisqu'on part; quoiqu'ils le disent...*

N.B. Attention aux 3 mots **presque, quelque, entre** :
– **presque** ne s'élide que dans *presqu'île*;
– **quelque** ne s'élide que devant *un* et *une* (*quelqu'un, quelqu'une*);
– **entre** ne s'élide que dans quelques **verbes composés** (cf § 435 c) :

> *s'entr'aimer, s'entr'égorger, s'entr'appeler, (s')entr'apercevoir; (mais : s'entraider, entrouvrir, s'entre-déchirer, entrebâiller...)*

20. Dans la langue parlée on constate une tendance fâcheuse à l'**abus d'élisions** de toute sorte :

> *c'matin; le ch'val; *paske (parce que); *pisque (puisque); M'sieu, M'dam, M'zel'; *satregardpa (ça ne te regarde pas)...*

21. Pour conclure, disons qu'il n'y a pas une langue française mais plusieurs. Sans parler des langues **techniques** (celle des médecins, des juristes, des métiers manuels ou techniques), sans parler des divers **dialectes** de «l'Hexagone», on peut dire que chacun de nous, chaque francophone possède plusieurs langues :

● une langue **soignée,** quand on cherche à bien parler, à bien écrire;
● une langue **familière,** quand on s'adresse à des parents, à des amis;
● une langue **argotique,** riche de ressources très variées...

Il convient de s'adapter aux circonstances; le ton juste, tout est là!

Le vocabulaire

22. Le **vocabulaire** du français, nous l'avons dit, est **très riche** : certains dictionnaires ont jusqu'à 10, 15 et 20 tomes, et épais! L'étude du vocabulaire présente un double intérêt; on peut méditer, en effet :
a) sur l'**origine des mots** (c'est le domaine de l'**étymologie,** de la naissance et de la formation des mots);
b) sur le (ou les) **sens des mots** (c'est le domaine de la **sémantique,** de la vie, de l'histoire, de l'évolution de sens des mots).

1 – ÉTYMOLOGIE

23. Le français est une langue **latine**, ou **romane** (comme l'italien, le roumain, le provençal, l'espagnol, le portugais) c'est-à-dire du latin déformé au cours des siècles par les gosiers de nos divers ancêtres. Mais son vocabulaire est loin d'être uniquement latin; fait d'**emprunts multiples** à diverses langues (proches ou lointaines), il ressemble fort à un costume d'Arlequin bariolé.

A – EMPRUNTS

24. On trouve en effet dans le français :
a) des mots **gaulois** (plus nombreux qu'on ne le croit généralement) :
> *alouette, bec, charrue, chemin, lieue, arpent, cheval, cloche...;*
b) d'innombrables mot **grecs** (surtout savants) :
> *bibliothèque, dialogue, panégyrique, géographie, biologie...;*
c) des mots **hébraïques** (en rapport surtout avec la religion) :
> *amen, alléluia, rabbin, sabbat, séraphin, chérubin...;*
d) des mots **germaniques** (au moment des Grandes Invasions : vIe-xe s.) :
> *guerre, banc, jardin, haie, fief, faucon, blanc, bleu, blond...;*

e) des mots **arabes** et **byzantins** (au moment des Croisades) :

> zéro, chiffre, algèbre, alcool, sirop, élixir, zénith, mosquée... ;

f) des mots **exotiques** (depuis les Grandes Découvertes) :

> baobab, caoutchouc, tabac, cacao, thé, pyjama, bonze, kangourou, boomerang, toboggan... ;

g) des mots **européens** surtout, et particulièrement :
- **anglais** : paquebot, stock, dock, match, football, boy-scout... ;
- **allemands** : képi, bière, bock, trinquer, vasistas, loustic... ;
- **italiens** : gondole, opéra, mandoline, frégate, banque, piano... ;
- **espagnols** : matamore, toréador, duègne, cédille, fanfaron... ;
- **russes** : vodka, tsar (csar), moujik, steppe, isba, troïka...

sans parler des mots empruntés aux **langues** et **dialectes** du territoire national : wallon, picard, normand, breton, gascon, provençal.

25. Il reste que le fond du vocabulaire français est **latin**. Mais dans ces mots issus du latin, on distingue :
a) les mots de formation **populaire** ; ce sont les mots latins déformés lentement au cours des siècles par nos ancêtres :

> sacramentum, devenu sacr'mentu, puis sacr'ment, sarment et enfin serment ;

b) les mots de formation **savante**, forgés par les lettrés du Moyen-Age et de la Renaissance, et calqués sur le latin classique :

> sacramentum, qui donne sacrement.

26. C'est ainsi qu'un seul mot latin a pu donner 2 mots français, qu'on nomme des **doublets**, le **populaire** (déformé et raccourci), le **savant** (plus proche du modèle latin, et plus long) ; et leurs sens (malgré leur même origine) se différencient souvent assez nettement :
- **adjectifs** : fragilem a donné frêle et fragile ; captivum : chétif et captif ; integrum : entier et intègre ; natalem : noël et natal.
- **noms** : fabricam a donné forge et fabrique ; officinam : usine et officine ; redemptionem : rançon et rédemption... ;
- **verbes** : navigare a donné nager et naviguer ; liberare : livrer et libérer ; separare : sevrer et séparer...

B – CRÉATIONS FRANÇAISES

a) Dérivation et composition

27. Si le français a largement fait des emprunts à diverses langues, il a su aussi utiliser ses propres ressources, en particulier la **dérivation** et la

composition. Un mot français en effet peut être :

● **simple**, c'est-à-dire formé du seul **radical** :

> *front, bras, dos;*

● **dérivé**, c'est-à-dire formé du **radical** + un **suffixe** :

> *front-on, front-ière; bras-sée, bras-sard; dos-sier, dos-sard;*

● **composé**, c'est-à-dire formé d'un **préfixe** + le **radical** :

> *af-front; avant-bras; en-dos.*

N.B. Très souvent un mot est à la fois **composé** et **dérivé** :

> *con-front-ation; em-bras-sade; en-dos-ser.*

28. Suffixes – Le français possède surtout :

● des suffixes **de noms** (-age, -aison, -ation, -eur, -etée, -té, -isme, -ade, -ance...), **d'adjectifs** (-able, -ible, -uble, -ain, -aire, -al, -ard, -âtre, -el, -esque, -iste...), **de verbes** (-er, -ir, -oir, -re, -ailler, -ifier, -ocher, -onner, -oter ...) :

> *lav-age, fen-aison, tent-ation, coiff-eur, charr-etée, bon-té, human-isme, brav-ade, puiss-ance...;*
> *aim-able, aud-ible, sol-uble, proch-ain, agr-aire, fin-al, vant-ard, bleu-âtre, mort-el, livr-esque, idéal-iste...;*
> *chant-er, fin-ir, recev-oir, écri-re, cri-ailler, vitr-ifier, flân-ocher, mâch-onner, viv-oter...;*

● des **mots latins** (-cide, -cole, -fère, -fuge, -pare, -pède, -vore...)
ou des **mots grecs** (-algie, -archie, -cratie, -graphie, -logie, -mane, -phagie, -phile, -phobe ...) employés comme suffixes :

> *régi-cide, agri-cole, calori-fère, calori-fuge, ovi-pare, quadru-pède, herbi-vore ...;*
> *nost-algie, mon-archie, plouto-cratie, géo-graphie, chrono-logie, mélo-mane, aéro-phagie, franco-phile, anglo-phobe ...*

N.B. Il est évident que ces **suffixes** ou ces **mots-suffixes** donnent aux mots (dérivés) ainsi obtenus des **sens** variés autant que précis.

29. Préfixes – Le français possède :

● des préfixes d'**origine latine** (ab-, a-, abs-; ad-, ac-, af-, an-, ap-, ar-, as-, at-, a-; anté-, anti-; bien-, béné-; bis-, bi-; co-, con-, com-, col-, cor-; dis-, des-, dif-, di-, dé-; é-, ex-, es-, ef-; in-, im-, il-, ir-; en-, em-; ob-, oc-, of-, op-; sub-, suc-, sug-, sup-, sous-, sou- ...)
ou d'**origine grecque** (a-, an-; amphi-; anti-; archi-, arch-; cata-; dia-; épi-; eu-; hémi-; hyper-; hypo-; péri-; syn-, sym- ...) :

> *ab-négation, a-movible, abs-traire; ad-mettre, ac-courir, af-fer-mir, an-nuler, ap-porter, ar-river, as-surer, at-tarder, a-border; anté-cédent, anti-chambre; bien-fait, béné-diction; bis-cuit, bi-latéral; co-habiter, con-fiance, com-poser, col-laborer, cor-*

roborer; dis-crédit, dés-orienté, dif-fuser, di-gression, dé-faire; é-denté, ex-patrier, es-soufflé, ef-feuiller; in-apte, im-prudent, il-logique, ir-réel; en-granger, em-pocher; ob-tenir, oc-cident, of-frande, op-pression; sub-urbain, suc-céder, sug-gérer, sup-poser, sous-traire, sou-lever ...;

a-thée, an-archie; amphi-bie; anti-char; archi-duc; arch-evêque; catalogue; dia-logue; épi-derme; eu-phonie; hémi-sphère; hyper-sensible; hypo-tendu; péri-scope; syn-taxe, sym-phonie ...

● des **mots latins** (centi-, déci-, milli-, curvi-, équi-, multi-, omni-, uni- ...) ou **grecs** (déca-, hecto-, kilo-, auto-, bio-, hippo-, hydro-, méga-, micro-, néo-, ortho-, philo-, télé-, thermo-, zoo- ...) employés comme préfixes :

centi-mètre, déci-litre, milli-gramme, curvi-ligne, équi-distant, multi-forme, omni-présent, uni-lingue ...;

déca-mètre, hecto-litre, kilo-gramme, auto-didacte, bio-graphe, hippo-potame, hydro-thérapie, méga-lithe, micro-scope, néo-logisme, ortho-doxie, philo-sophie, télé-graphie, thermo-mètre, zoo-logie ...

N.B. Il est évident que ces **préfixes** et **mots-préfixes** donnent aux mots (composés) obtenus des **sens** variés autant que précis.

b) Groupement de mots

30. Outre la dérivation et la composition, le français crée des mots de sens nouveau par **groupements de mots** déjà existants. Ces mots groupés se présentent soit **unis par des traits d'union,** soit **soudés,** soit **séparés** :

un pied-à-terre, un gentilhomme, une pomme de terre ...

31. C'est ainsi qu'on obtient :
● des **noms** composés, des **adjectifs** composés, des **pronoms** composés, des **verbes** composés (ou **locutions verbales**; voir § 177) :

chou-fleur, arrière-saison, basse-cour, abat-jour, pourboire ...
sourd-muet, jaune citron, nouveau-né, malséant ...
moi-même, celle-ci, auquel, quelqu'un ...
prendre garde, avoir beau, tenir tête, faire savoir ...

● des mots **invariables** composés, qu'on nomme **locutions prépositives, adverbiales, conjonctives, interjectives** :

près de, loin de, le long de, grâce à, vis-à-vis de ...
ici-bas, sur-le-champ, à tue-tête, d'arrache-pied, peut-être ...
c'est pourquoi, après que, de peur que, à condition que ...
eh bien! juste ciel! bon sang! allons donc! ma parole! ...

c) Changement de catégorie

32. Outre la dérivation et la composition, outre le groupement de mots, le français, très souple, peut malmener le classement rigide des 9 **catégories grammaticales** (nom, article, adjectif, pronom, verbe; préposition, adverbe, conjonction, interjection), provoquant ainsi de nouvelles créations dans le vocabulaire :

> *Tiens!* (verbe devenu interjection).
> *Elle chante* **faux** (adjectif devenu adverbe) ...

33. Le cas le plus curieux est celui du **nom commun.** Le français peut transformer en nom commun toutes sortes de mots ou de groupes de mots en les précédant de l'**article** (noms propres, adjectifs, pronoms, verbes, mots invariables, groupes variés, mots-phrases, créations enfantines, onomatopées, mots tronqués, sigles) :

> *un hercule, le champagne; le beau, le vrai, les bons, les méchants; le moi, le tout, un rien; le boire, le manger, un tiens et deux tu l'auras, un étudiant, une dictée; le pour et le contre, des si et des mais; un hors-la-loi, le quant-à-soi; le qu'en dira-t-on, un je-ne-sais-quoi; papa, nounou, dada; le tic-tac, le ronron; une auto, un vélo; la S.N.C.F., le T.G.V., les U.S.A....*

34. Remarques – Attention! Il faut se méfier :

a) des **apparences,** des «**évidences**» :

> *berceau* n'a rien à voir avec *bercail*, *échec* avec *échouer*, *émerger* avec *mer*, *forcené* avec *force*, *émoi* avec *émouvoir* ...;

b) des **homophones** (homonymes de prononciation identique mais d'orthographe différente) :

> *repaire, repère; saut, sceau, seau, sot; bâiller, bailler, bayer; faim, feint, fin; ver, vers, vert, verre, vair* ...

c) des **homographes** (homonymes de prononciation et d'orthographe identiques, mais d'origines, d'étymologies différentes) :

> *la bière* (boisson) *et la bière* (cercueil); *la poêle* (à frire), *le poêle à bois, les cordons du poêle* (manteau symbolique, recouvrant un cercueil); *le cousin* (parent) *et le cousin* (moustique); *le bouquin* (livre) *et le bouquin* (vieux bouc ou lièvre) ...

d) des **paronymes** (mots assez voisins de prononciation, mais très différents d'origine et de sens) :

> *mine et mime* (cf. *pantomime); aérophage et aréopage; énumérer et rémunérer; sujétion et suggestion; patricien et praticien.*

35. On appelle **famille étymologique** l'ensemble des mots qui gravitent autour d'un même **radical**. Le mot **pied,** par exemple, avec ses emprunts soit au latin (*ped-*), soit au grec (*pod-*), se retrouve dans des mots aussi variés et (en apparence) aussi éloignés que :

> piéton, piétiner, empiéter, pion, piège, peton, péage, empêcher, dépêcher, bipède, trépied, piètre, appuyer, podium, podagre, antipodes, podomètre, polype (et pieuvre, et poulpe), pourpier, trapèze ... et même pétanque! ... et même contrepèterie! ...

(On peut consulter un dictionnaire étymologique).

2 – SÉMANTIQUE

36. Tout mot est un **être vivant.** Depuis sa naissance il s'est transformé :

> sacramentum est devenu serment; oculum est devenu œil ...

S'il a changé de forme, il a changé aussi de **sens**, et pris parfois des sens différents. L'étude du (des) sens, des **changements de sens**, est le domaine de la **sémantique**.

37. Un mot peut, aujourd'hui, avoir conservé son **sens étymologique** :

> agriculteur, étrave, anchois ...

Mais plus souvent il l'a perdu, et c'est dommage; il n'est pas désagréable, en effet, de savoir que, étymologiquement :

> **écureuil** signifie **ombre + queue** (le petit privilégié qui se fait de l'ombre avec sa queue, son parasol en quelque sorte!);
> **muscle** signifie **petite souris** (quand on le fait fonctionner, il semble courir sous la peau, comme la souris sous un drap!).

38. Aujourd'hui un même mot a souvent plusieurs sens :

a) le sens **premier** ou sens **propre** (à distinguer du sens étymologique) :

> **écureuil :** «mammifère rongeur arboricole»;
> **muscle :** «organe formé de fibres assurant les mouvements des êtres vivants»;

b) un ou plusieurs sens **figurés** (ou **dérivés**) :

> on appelle **écureuil** un être vif, rapide, insaisissable;
> avoir du **muscle,** c'est être fort, vigoureux, puissant.

39. Les changements de sens, les glissements d'un sens premier à un sens dérivé, les **évolutions sémantiques** se font de plusieurs façons :

a) par passage du sens **concret** au sens **abstrait** :

> *la tête d'un parti; la queue de la classe;*

b) par passage du sens **abstrait** au sens **concret** :

> *la vieillesse (= les vieillards); la jeunesse (= les jeunes);*

c) par passage du **contenant** au **contenu**, du **lieu** de fabrication à la **chose fabriquée**, du **tout** à la **partie**, de la **partie** au **tout**, de l'**insigne** à la **chose signifiée**, de l'**espèce** au **genre**, du **genre** à l'**espèce** :

> *boire une bouteille; acheter un cognac; cirer le salon (= le parquet du salon); voir cent voiles (= cent bateaux) à l'horizon; vivre dans la robe (= la magistrature); le temps des cerises (= des fruits); les mortels (les seuls humains, et non tous les êtres vivants);*

d) par l'emploi de la **métaphore** (ou **image**) :

> *cet homme est un renard, cette femme une vipère;*
> *un paysage riant; remuer les cendres du passé ...*

e) par **restriction** de sens :

> *la viande*, c'est d'abord *tout ce qui sert à «vivre»* (et d'abord le lait maternel); ce n'est plus que *la chair de certains animaux*; *pondre*, c'est d'abord *poser, déposer* (n'importe quoi); ce n'est plus que *poser, déposer ... un œuf*;

f) par **extension** de sens :

> *le panier* a d'abord été réservé au *pain*;
> *le boucher* a d'abord vendu du *bouc*;
> *le bureau* c'est d'abord *un petit morceau de bure*, puis *le meuble sur lequel on a posé ladite étoffe*, puis *la pièce où se trouve ledit meuble*, puis *les personnes siègeant autour*.

g) par **renforcement** ou, au contraire, par **affaiblissement** de sens :

> *méchant* et *mauvais* signifient d'abord *malchanceux*;
> *meurtrir* c'est d'abord *commettre un meurtre*, et *étonner* c'est *frapper du tonnerre* ...

N.B. On parle de **polysémie** (= nombreux sens) pour les mots qui ont pris de nombreux sens à partir du sens premier; c'est ainsi qu'un bon dictionnaire nous donne :

> *39 sens (39 acceptions) pour le verbe **aller**; 49 pour **mettre**; 50 pour **prendre**; 82 pour **faire**! ...*

40. On appelle **synonymes** des mots voisins de sens : certains dictionnaires donnent le ou les synonymes des mots présentés.

Pour bien cerner le sens exact d'un mot à sens multiples, il est bon d'en rechercher l'**antonyme** (= de sens contraire, opposé) : l'adjectif *bon*, par exemple, aux nombreux synonymes, possède de nombreux **antonymes** (qui sont les divers **synonymes** de **mauvais**) :

> *méchant, malfaisant, nuisible, nocif, pernicieux, maléfique, défectueux, faible, nul.*

N.B. Parmi les synonymes, on peut ranger la **périphrase** (qui dit en plusieurs mots ce qu'on pourrait dire en un seul) :

> *l'astre du jour* (le soleil); *le roi des animaux* (le lion) ...

41. Comme on peut grouper les mots en **familles étymologiques** (§ 35), on peut aussi les grouper en **familles sémantiques**; on appelle famille sémantique les nombreux mots qui gravitent, pour le sens, autour d'un mot important.

Soit le mot *mer*. S'y rattachent, sémantiquement, non seulement ses divers **synonymes** :

> *eau, onde, océan, baie, anse, golfe* ...

mais aussi tous les mots qui évoquent l'*eau* et la *navigation* :

> *marée, vague, courant, ressac, flux, reflux, écume, embruns, tempête, ouragan, tornade, cyclone, raz-de-marée* ...;
> *côte, sable, galet, plage, rocher, récif, île, îlot, îlet, presqu'île, archipel, péninsule, cap, pointe, promontoire* ...;
> *bateau, navire, barque, canot, voilier, yacht, paquebot, cargo, pétrolier, torpilleur, porte-avions, sous-marin* ...;
> *port, rade, bassin, quai, jetée, phare, amer, appareillage, croisière, mouillage, ancre, rame, aviron, voile, moteur* ...;
> *lever l'ancre, louvoyer, s'échouer, faire naufrage* ...;
> *capitaine, commandant, amiral, matelot, mousse, moussaillon* ...

3 – CONCLUSION

42. Pour conclure cette esquisse du vocabulaire, disons qu'on pourrait s'intéresser à toute sorte d'aspects passionnants :

● les **déformations** (voulues ou non) :

> *l'aboutique*, devenue *la **boutique***; *un ombril*, devenu *un **nombril***; *m'amie*, devenue *ma **mie***; *en age* (= eau), devenu *en **nage*** ...

cf. les **jurons** déformés par **euphémisme** :

> **morbleu!** (mort de Dieu), **palsambleu!** (par le sang de Dieu) ...

• les mots **tronqués** (par paresse, ou pour aller plus vite); suppression du **début** ou de la **fin** des mots :

> le capitaine devient le ***pitaine***; l'autobus, le **bus** ...
> cinématographe devient ***cinéma*** et ***ciné***; philosophie, **philo** ...

• les **néologismes** (tous les jours il se crée des mots nouveaux, qui durent, ou qui ne durent pas) :

> alunir, mazouter, véliplanchiste, vacanciers et aoûtiens ...

• les **archaïsmes,** pour les amateurs de vieux langage, de vieux proverbes, de vieilles locutions :

> ire (colère), d'aucuns (certains), s'esbaudir (se réjouir) ...;
> Poignez vilain, il vous oindra; oignez vilain, il vous poindra;
> dès potron-minet, de guerre lasse, du poil de la bête ...

• les **jeux de mots** de toute sorte (dont sont friands tous les Français), des plus simples aux plus tarabiscotés, que l'on rencontre aussi dans certaines «définitions» de mots croisés :

> Vous mendierez des nouvelles (vous m'en direz des nouvelles);
> Un Bonaparte manchot (un bon appartement chaud);
> Je ne suis ni clément ni sot, disait volontiers Clemenceau;
> «Terre ceinte» (réponse: «île»);
> «Le premier venu» (réponse : «Adam»);
> «Tests au labo ou succès au stade» (réponse: «essais»);
> «Il lui arrive d'avoir l'estomac dans les talons» (réponse: «cordonnier»)...

43. **Vocabulaire** et **dictionnaire :** deux mots inséparables. Quiconque aime les mots doit avoir toujours à la portée de la main un **dictionnaire** (et même plusieurs); aimer les mots (étymologiquement, ou sémantiquement, ou mieux les deux à la fois), c'est déjà aimer la **Grammaire**.

LA MORPHOLOGHIE

*Les mots
variables*

*Les mots
invariables*

44. Après une esquisse de la **phonétique** et du **vocabulaire,** il nous reste à étudier les deux vrais domaines de la grammaire :

– la **morphologie** (nous l'avons annoncé § 9), qui étudie la **forme** des 9 espèces ou catégories de mots :

• **5 variables** : nom, article, adjectif, pronom, verbe ;
• **4 invariables** : adverbe, préposition, conjonction, interjection.

– la **syntaxe** (nous l'avons dit aussi, § 9), qui étudie les emplois, valeurs et rôles de tous ces mots, c'est-à-dire leur **fonction.**

45. Nous constaterons, chemin faisant, que les deux domaines sont intimement liés ; si bien que, pour telle ou telle catégorie, à côté de l'étude de ses **formes** («morphologie»), nous serons amenés à parler aussi de ses valeurs, de ses emplois, de ses **fonctions**, anticipant ainsi sur le second domaine, celui de la «syntaxe». Cependant, pour la clarté générale de l'exposé, nous présenterons séparément, et successivement, les deux parties.

Les mots variables

1 – LE NOM (ou SUBSTANTIF)

46. Le **nom** (ou **substantif**) est, après le verbe (qui est le mot-roi), le mot le plus important de la phrase. C'est un mot variable, qui désigne une personne, un animal ou une chose. On distingue, avant tout:
– le **nom commun,** qui désigne les personnes, les animaux, les choses en général, c'est-à-dire des êtres ou des choses de même espèce:

> *berger, chien, campagne; femme, chatte, ville;*

– le **nom propre,** qui désigne les personnes, les animaux, les choses en particulier, en les distinguant des autres êtres ou choses de même «espèce»; il commence par une lettre majuscule:

> *Julien, Médor, Provence; Corinne, Minette, Paris.*

47. Remarques
a) Un nom, nous l'avons vu (§ 39), peut avoir un sens **concret** ou un sens **abstrait**; concret s'il désigne des êtres ou des choses accessibles à nos sens (la vue, l'ouïe, l'odorat, le toucher, le goût); abstrait s'il désigne les choses (les idées) accessibles seulement à notre esprit, à notre pensée:

> *pêcheur, poisson, bateau; liberté, égalité, fraternité.*

b) Un nom, nous l'avons vu (§ 30-31), peut être formé de plusieurs mots (on peut alors parler de **«locutions substantives»**):

> *garçon de café, chien-loup; Jean-Paul, Bourg-la-Reine.*

48. Mot variable, le nom varie:
– en **genre,** selon qu'il est au **masculin** ou au **féminin**:

> *parent, parente; chat, chatte;*

– en **nombre,** selon qu'il est au **singulier** ou au **pluriel**:

> *parent, parents; chatte, chattes.*

A – LE GENRE DES NOMS

a) Noms de personnes ou d'animaux

49. Le **masculin** s'emploie pour les êtres mâles, le **féminin** pour les êtres femelles :

> *un garçon, une fille; un coq, une poule.*

On forme généralement le féminin en ajoutant un -e au masculin :

> *parent, parente; ours, ourse.*

50. Exceptions

a) Parfois l'*e* final du féminin est précédé d'une **déformation** plus ou moins importante de la fin du masculin :

> *paysan, paysanne; veuf, veuve; époux, épouse; loup, louve; boucher, bouchère; coiffeur, coiffeuse; pêcheur, pécheresse; acteur, actrice; dieu, déesse; roi, reine; empereur, impératrice; neveu, nièce; dindon, dinde; canard, cane; sphinx, sphinge...*

b) Parfois, le féminin est tout **différent** du masculin :

> *homme, femme; père, mère; gendre, bru; coq, poule...*

c) Parfois le féminin est marqué par une **périphrase** :

> *une femme écrivain, Madame le Ministre, un pinson femelle...*

d) Parfois le féminin ne se distingue pas du masculin :

> *un (ou une) touriste, concierge, enfant, élève, artiste...*

51. Remarques

a) Certains masculins ont 2 féminins :

> *notairesse, notaresse; patronne, patronnesse; chanteuse, cantatrice; merlesse, merlette...*

b) Pour les animaux, il existe parfois 3 mots : un pour l'**espèce**, un pour le **mâle**, un pour la **femelle** :

> *mouton, bélier, brebis; bœuf, taureau, vache;*
> *porc, verrat, truie; cheval, étalon, jument...*

c) Parfois on emploie curieusement un **féminin** pour désigner un homme, un **masculin** pour désigner une femme :

> *(une) sentinelle, ordonnance; (un) laideron, bas-bleu...*

b) Noms de choses

52. Les noms de **choses** sont soit du masculin, soit du féminin (le **neutre**, si fréquent en latin, a disparu des noms français) :

> *un banc, une table; un remords, une envie...*

53. Seuls l'usage et la pratique permettent de distinguer le genre des noms de choses; en cas de doute, consulter un dictionnaire.

● Sont du **masculin,** par exemple :

> *alvéole, ambre, antre, astérisque, apogée, arcane, automne, camée, haltère, hémisphère, insigne, ivoire, lange, obélisque...*

● Sont du **féminin,** par exemple :

> *abside, acné, acoustique, alcôve, anagramme, antichambre, atmosphère, autoroute, azalée, ébène, épigramme, équivoque...*

54. Remarques

a) Certains mots **se dédoublent,** avec sens différent selon qu'on les emploie au masculin ou au féminin :

> *un (une) critique, crêpe, manœuvre, pendule, mémoire, finale, œuvre, office, coupole, gîte, geste...*

Ne pas confondre avec les **homographes** (d'origines différentes, § 34, c) :

> *le (la) poêle; le (la) mousse; le (la) solde...*

b) Dans les **noms de villes,** l'usage hésite entre masculin et féminin :

> *Rome est belle, Paris est beau; Ah! ce (cette) Venise!*

c) Le nom **«après-midi»,** longtemps hésitant, est devenu masculin :

> *un bel après-midi; tout ce long après-midi d'été.*

d) Le nom **«orge»** est féminin, sauf dans 2 expressions :

> *l'orge mondé, l'orge perlé.*

e) Les noms **«comté»** et **«duché»,** autrefois féminins, sont devenus masculins; **«vicomté»** restant au féminin :

> *le duché, le comté (sauf la Franche-Comté); la vicomté.*

B – LE NOMBRE DES NOMS

55. On forme le **pluriel** des noms en ajoutant un *-s* au singulier :

> *un chien, des chiens; une maison, des maisons.*

56. Exceptions

a) Certains noms prennent un *-x* et non un *-s* au pluriel :
– les noms en **-eau,** en **-au** (sauf *landau* et *sarrau*); les noms en **-eu** (sauf *bleu* et *pneu*) :

> *des veaux, des préaux; des feux, des jeux.*
> *(des landaus, des sarraus; des bleus, des pneus);*

– les 7 noms en **-ou** bien connus :

> bijou(x), caillou(x), chou(x), genou(x), hibou(x), joujou(x), pou(x);

– les noms en **-al** qui font leur pluriel en **-aux** (sauf : *bal, cal, carnaval, chacal, festival, pal, récital* et *régal*) :

> des chevaux, des bocaux, des locaux, des maux...
> (bals, cals, carnavals, chacals, festivals, pals, récitals, régals);

– et les 9 mots en **-ail** (+ un nouveau venu : *gemmail*) :

> bail, baux; corail, coraux; émail, émaux; fermail, fermaux;
> soupirail, soupiraux; travail, travaux; vantail, vantaux; ventail,
> ventaux; vitrail, vitraux (+ gemmail, gemmaux).

b) Les noms singuliers en *-s, -x, -z* ne changent pas au pluriel :

> repas, repos, puits; noix, prix; nez, gaz

c) Il faut se méfier des **noms composés** :
– s'ils s'écrivent en un seul mot, seul le dernier élément prend la marque du pluriel :

> des bonbons, des bonheurs, des portefeuilles
> (sauf : mesdames, messieurs, bonshommes, gentilshommes);

– s'ils s'écrivent en plusieurs mots, seuls les éléments noms et adjectifs prennent (si le sens le permet) la marque du pluriel :

> des basses-cours, des choux-fleurs, des grands-pères; des demi-
> heures, des chefs-d'œuvre, des timbres-poste, des tire-
> bouchons, des sous-mains, des garde-boue...

(en cas de doute, consulter son dictionnaire)

d) Il faut se méfier des noms d'origine **étrangère** :
– certains, francisés, prennent simplement un *-s* :

> référendums, duos, examens, alibis, pianos, albums...

– certains respectent la forme étrangère :

> gentlemen, garden-parties, desiderata, soprani...

– certains **hésitent** et ont pratiquement **deux pluriels** :

> maximums, maxima; matchs, matches; lieds, lieder...

– certains, enfin, restent **invariables** :

> des credo, des Te Deum, des intérim, des post-scriptum...

e) Il faut se méfier des **noms propres** :
– ils prennent la marque du pluriel s'ils désignent des noms de familles **illustres,** des personnes prises comme **types,** les œuvres d'un écrivain, d'un artiste (avec ellipse du nom commun) :

>　　　*les Césars, les Bourbons, les Condés...;*
>　　　*les Homères, les Hugos, les Platons et les Pascals sont rares;*
>　　　*il possède trois Renoirs; il a lu tous les Balzacs, tous les Hugos;*

– ils restent au singulier : dans les noms de familles ordinaires, les noms de familles étrangères, et quand (précédés d'un «les» **emphatique**) ils désignent une seule personne :

>　　　*les Oberlé, les Thibault, les Pasquier;*
>　　　*les Borgia, les Habsbourg, les Romanof;*
>　　　*les Montesquieu, les Voltaire, les Diderot, les Rousseau ont*
>　　　*illustré le siècle «des lumières».*

57. Curiosités

a) Certains noms ne s'emploient qu'au **pluriel** :

>　　　*frais, arrhes, pénates, ambages, fiançailles, funérailles, obsèques,*
>　　　*ténèbres, mœurs...;*

b) Certains noms **changent de sens** en passant au pluriel :

>　　　*une lunette, des lunettes; un ciseau, des ciseaux...;*

c) Trois noms : **amour, délice** et **orgue,** masculins au singulier, deviennent féminins au pluriel :

>　　　*de folles amours, de parfaites délices, les grandes orgues;*

d) Certains noms ont 2 pluriels :
– soit de **même sens** :

>　　　*ails, aulx (ail); vals, vaux (val); idéals, idéaux (idéal);*

– soit de sens **différents** :

>　　　*aïeux (ancêtres), aïeuls (grands-parents);*
>　　　*cieux (normal), ciels (d'une région, d'un peintre);*
>　　　*yeux (normal), œils (dans certains termes techniques);*
>　　　*travaux (normal), travails (appareil à ferrer les chevaux);*

e) Le nom **Pâques** est capricieux :
● au singulier, sans *-s* il est féminin, avec *-s* il est masculin :

>　　　*la Pâque juive; j'irai te voir à Pâques prochain;*

● au pluriel, il est féminin :

>　　　*Joyeuses Pâques! Pâques fleuries;*

f) Le nom **gens** est encore plus capricieux :
féminin au départ (pluriel du nom féminin gent = race, espèce), il est devenu masculin (en prenant le sens de «hommes»), sauf quand il est immédiatement précédé d'un adjectif dont le féminin diffère du masculin :

>　　　*les vieilles gens, les bonnes gens, quelles gens!*

mais :　　　*tous les gens sensés; quels braves gens!*

58. Remarques

a) Certains pluriels ont leur **finale muette** :

> *des os, des bœufs, des œufs, des ours, des cerfs;*

b) Le nom **bétail** n'a pas de pluriel; le nom **bestiaux** pas de singulier; en cas de besoin, on utilise le nom **bête(s)** :

> *le bétail, les bêtes; des bestiaux, une bête;*

c) On **hésite** parfois entre singulier et pluriel; on peut dire :

> *une salle de bain (ou de bains); une confiture de groseille (ou de groseilles)...*

N.B. Noter la distinction savoureuse entre le singulier (de **gourmandise**) et le pluriel (de **sympathie**) dans :

> *aimer le pigeon, l'agneau; aimer les pigeons, les agneaux.*

2 – L'ARTICLE

59. C'est le plus humble des compagnons (des **«déterminants»**) du nom; il précise, avant tout le **genre** et le **nombre** du nom qu'il introduit :

> *le pain, une marie-j'ordonne, des m'as-tu-vu...*

On distingue 3 sortes d'articles : le **défini**, le **partitif**, l'**indéfini** :

> *(prendre)* **le** *pain,* **du** *pain,* **un** *pain;*
> *(acheter)* **la** *viande,* **de la** *viande,* **une** *viande.*

a) L'article défini

60. **Ses formes** – Les formes de l'article défini sont :
le (masculin singulier), **la** (féminin singulier), **les** (m. et f. pluriel) :

> *le pain, la croûte, les morceaux, les miettes.*

61. Il est **élidé** au singulier devant voyelle ou *h* muet :

> *l'agent, l'homme (le); l'intelligence, l'horloge (la)*

N.B. Cette **élision** ne se fait pas devant : un, huit, onze, onzième, oui, uhlan, yacht, yatagan, yoga, yole, yaourt...; elle est **facultative** devant **ouate** :

> *le un, le huit, le oui, le yacht, la yole; l'ouate (ou la ouate).*

62. Il est **contracté** (fusion avec les prépositions **à** et **de**) :
– au masculin singulier devant consonne ou *h* aspiré :

> *la mousse* **au** *(à le) chocolat; l'ombre* **du** *(de le) hêtre;*

– au masc. ou fém. pluriel, devant voyelle ou consonne, *h* muet ou aspiré :

> *la pêche **aux** (à les) crevettes; l'ombre **des** (de les) arbres.*

N.B. Jadis on contractait aussi la préposition *en* et l'article pluriel *les* :

> *docteur **ès** (en les) sciences, **ès** lettres; agir **ès** qualités.*

63. Ses valeurs – Étymologiquement il a valeur **démonstrative** :

> *Le (= ce) monsieur qui passe sur le (= ce) trottoir est le (= ce) professeur dont je t'ai souvent parlé;*

Mais, selon le contexte, il peut exprimer d'autres valeurs (possessive, indéfinie, générale, affective : laudative ou péjorative) :

> *J'ai mal à la (= ma) tête – Ils sortent le (= chaque) dimanche –*
> *Le travail c'est la santé – Le beau clair de lune! –*
> *Le brave homme! – Le monstre! – La chipie!...*

b) L'article partitif

64. Ses formes – Les formes de l'article partitif sont :
du (masc. sing.), **de la** (fém. sing.), **des** (masc. et fém. pluriel) :

> ***du** pain, **de la** mie, **des** croissants, **des** biscottes.*

Au singulier (masc. et fém.), il **s'élide** en **de l'** devant voyelle ou *h* muet :

> ***de l'**alcool, **de l'**hydromel; **de l'**eau, **de l'**herbe.*

65. Ses valeurs – Étymologiquement, il s'agit de l'article défini précédé de la préposition **de** (du = de le; des = de les). Il indique qu'on ne considère qu'une **partie d'un tout**, d'une masse, d'un ensemble :

> *je mange **du** pain, **de la** viande, **des** légumes.*

● au **singulier, du** se distingue facilement de l'article défini contracté :

> *je mange **du** pain; je mange la croûte **du** pain.*

● au **pluriel, des** se distingue difficilement de l'article indéfini (§ 68) :

> *acheter **des** pommes (cf. acheter **du** raisin) : partitif.*

66. Remarques

a) Au masc. sing. on l'emploie curieusement devant un **nom propre** :

> *jouer **du** Racine, interpréter **du** Bach, acheter **du** Picasso;*

b) Il se réduit à **de**, dans certains cas :

> *manger **de** bonnes pommes (mais : manger **des** petits pois);*
> *beaucoup **de** souci, beaucoup **d'**amis (mais bien **du** souci, bien*
> ***des** amis); je ne bois pas **de** lait.*

c) L'article indéfini

67. Ses formes – Les formes de l'article indéfini sont :
un (m.s.), **une** (f.s.), **des** (m. et f. pluriel) :

> *un pain, **une** brioche, **des** boulangers, **des** fournées.*

68. Ses valeurs – Étymologiquement, l'article indéfini est :
● au singulier, une atténuation de l'**adjectif numéral un, une** (§ 91) :

> *j'attends **un** ami (indéfini);*

● au pluriel, une atténuation de l'**article partitif des** (§ 65) :

> *j'attends **des** amis (quelques amis).*

69. Remarques
a) Au sing. il ne précise pas l'**identité**, au pl. il ne précise pas la **quantité** :

> *J'ai lu une fable – Une grenouille vit un bœuf.*
> *J'ai lu des fables – Des grenouilles virent des bœufs.*

b) Au singulier, il peut prendre la valeur générale de **tout**; il se rapproche alors de l'article défini dans le même emploi (§ 63) :

> *__Un__ (= le, = tout) bon conducteur est toujours prudent.*

c) Il peut prendre une valeur **affective** (laudative ou péjorative) :

> *Ce poète est **un** Hugo! – Elle m'a parlé sur **un** ton!*

d) **Des** se réduit à **de** devant un nom pluriel précédé d'un adjectif :

> *J'ai lu **de** beaux poèmes – J'ai visité **de** belles régions.*

d) Omission de l'article

70. Il arrive souvent que l'article (défini, partitif, indéfini) soit omis. Il prend alors, peut-on dire, une valeur par omission :
– dans les **formules générales**, les **dictons**, les **proverbes** :

> *Noblesse oblige – Nécessité fait loi – A bon chat, bon rat;*

– dans les **locutions verbales** (cf. § 177) :

> *avoir soin, prendre garde, perdre pied, tenir tête...*

– dans le **style elliptique** (titres, croquis, portraits, réclames...) :

> *Mémoires d'outre-tombe (Chateaubriand)*
> *Toutes les nuits, qui vive! alerte! assauts! attaques! (Hugo)*
> *Appartement à louer – Maison à vendre – Bail à céder...*

– dans le cas de multiples **fonctions du nom** (ou de son groupe) :

> *Femmes, moine, vieillards, tout était descendu (La Fontaine)*

3 – L'ADJECTIF

71. Le nom s'emploie rarement seul; il est généralement «introduit» par un **«adjectif»** (nous venons de voir que l'article, étymologiquement, est aussi un **«adjectif»**).

> *chat;* **le** *chat,* **mon** *chat,* **ce** *chat,* **quel** *chat?*

72. On distingue 3 sortes d'adjectifs :
a) les adjectifs dits **pronominaux** (en rapport avec les pronoms); comme l'article, ils «déterminent» le nom. Ils sont 5 : le **possessif**, le **démonstratif**, l'**indéfini**, l'**interrogatif**, le **relatif** (rare) :

> **mon** *chat,* **ce** *chat,* **chaque** *chat,* **quel** *chat?* **lequel** *chat;*

b) les adjectifs **numéraux** (**cardinaux** et **ordinaux**) :

> **deux** *(trois, quatre, cinq...) chiens;*
> **deuxième** *(troisième, quatrième, cinquième...) chien;*

c) les adjectifs **qualificatifs,** moins nécessaires que l'article ou l'adjectif pronominal, mais qui **complètent** et **enrichissent** le nom :

> *le (mon, ce...) chat; le (mon, ce...)* **beau** *chat* **noir.**

1) *Pronominal*	
● *possessif*	*mon, ma, mes; ton, ta, tes ...*
● *démonstratif*	*ce (cet), cette, ces ...*
● *indéfini*	*tout, chaque, aucun ...*
● *interrogatif*	*quel? quelle? quels? quelles?*
● *relatif*	*lequel, laquelle ... (rare d'emploi)*
2) *Numéral*	
● *cardinal*	*un, deux, trois, quatre, cinq ...*
● *ordinal*	*premier, deuxième, troisième, quatrième ...*
3) *Qualificatif*	*blanc, noir, petit, grand, jeune, vieux ...*

A – LES ADJECTIFS PRONOMINAUX

a) L'adjectif possessif

73. Ses formes – L'adjectif possessif a 2 séries de formes :
a) les plus courantes, dites **atones** (non «accentuées») :
● avec un seul possesseur, et un ou plusieurs objets :
mon, ton, son (m.); ma, ta, sa (f.); mes, tes, ses, (m. ou f.);

● avec plusieurs possesseurs, et un ou plusieurs objets :
notre, votre, leur (m. ou f.); nos, vos, leurs (m. ou f.) :

> *mon chat, ta fille; nos chiens, leurs ami(e)s;*

b) les formes dites **toniques** («accentuées»), bien plus rares, à ne pas confondre avec les **pronoms possessifs** (§ 133) :
mien, tien, sien; mienne, tienne, sienne; nôtre, vôtre, leur; miens, tiens, siens; miennes, tiennes, siennes; nôtres, vôtres, leurs :

> *un mien cousin, une sienne vieille tante.*

N.B. Bien distinguer (attention aux **accents** et à la **prononciation** !) :

> *notre, votre (atones) et nôtre(s), vôtre(s) (toniques).*

74. Ses emplois et fonctions — Il s'accorde en **personne** (1re, 2e, 3e) avec le nom (ou pronom) désignant le ou les possesseurs; en **genre** et en **nombre** avec l'être ou la chose, les êtres ou les choses possédés :

> *leur maison : leur :* 3e personne, plusieurs possesseurs; féminin singulier, comme le nom *maison.*

75. Remarques
a) Au féminin singulier, on emploie curieusement les masculins *mon, ton, son,* devant **voyelle** ou **h muet** :

> *mon amie, ton erreur, son horloge;*

b) On emploie *votre, vos, vôtre(s)* dans le **pluriel de politesse** :

> *J'ai bien reçu votre lettre et vos cartes, mon ami(e);*
> *Je reste vôtre, fidèlement, ma chère amie;*

c) **Atone**, il précède toujours le nom (comme l'article) :

> *Tu aimes ton chien, je caresse ma chatte;*

d) **Tonique**, il s'emploie comme l'adjectif atone, mais précédé d'un article indéfini (emploi rare et **archaïsant**) :

> *une mienne parente; une sienne amie;*

mais aussi comme **attribut** (du sujet ou du complément d'objet) :

> *Je suis **tien**, pour toujours* — *Je fais **mienne** votre opinion;*

76. Ses valeurs — Outre sa valeur essentielle de possession, l'adjectif possessif atone peut exprimer diverses **nuances** : le respect, la déférence; le mépris, l'ironie; l'affection, la tendresse; l'habitude;

> ***Son** Altesse, **Votre** Excellence, **Mon** général...;*
> ***Ton** fils a encore triché! — «**Votre** monsieur Tartuffe»...;*
> ***Mon** Pierrot, **ta** Perrine, **son** aimée;*
> *Elle boit **sa** tisane; il a encore **son** rhume des foins....*

77. Remarques

a) Il faut bien distinguer le sens **réfléchi** (le possesseur est le sujet du verbe) et le sens **non réfléchi** (le possesseur n'est pas le sujet)

> J'aime **ma** chatte, tu aimes **ton** chien (réfléchis);
> J'aime **ton** chien, tu aimes **ma** chatte (non réfléchis);

b) Quand il n'y a aucun doute sur le possesseur, on remplace le possessif par l'article défini (plus **élégant**; cf. § 63) :

> J'ai mal à la tête (= ma) – Elle souffre du cou (= de son);

c) Par **élégance de style**, on le remplace aussi par le pronom personnel aidé de l'article défini :

> Ton chat **m'**a griffé **la** main (= a griffé ma main).

b) L'adjectif démonstratif

78. Ses formes – L'adjectif démonstratif a 2 séries de formes :

		Singulier	*Pluriel*
Formes	*m*	*f*	*m et f*
simples	ce (cet)	cette	ces
composées	ce (cet) ...-ci ce (cet) ...-là	cette ...-ci cette ....-là	ces ...-ci ces ...-là

N.B. Au masculin singulier, ce s'écrit **cet** devant **voyelle** ou **h muet** :

> **cet** ami, **cet** ami-ci (-là); **cet** homme, **cet** homme-ci (-là).

79. Ses emplois et valeurs – Comme le possessif, il remplace l'article devant le nom; il le «**détermine**». Comme son nom l'indique, il montre, il démontre; dans la langue parlée, il s'accompagne volontiers d'un geste de la main, d'un signe de la tête :

> Regarde **ce** papillon – Admirez **ces** pommes.

80. Outre sa valeur démonstrative, il peut :

● **rappeler** ce qui précède, ou **annoncer** ce qui suit :

> **Ce** brouet fut par lui servi sur une assiette (La Fontaine);
> Écoutez **ce** récit avant que je réponde (La Fontaine);

● marquer la **proximité** (avec ou sans **-ci**), dans le temps ou l'espace; ou l'**éloignement** (avec ou sans **-là**), dans le temps ou l'espace :

> Il fait frais **ce** matin – J'aime **cette** région-**ci**;
> A **cette** époque (en **ce** temps-**là**), on vivait plus au calme;

- exprimer un simple **parallèle** en opposant *-ci* et *-là* :

    Lequel prends-tu, **ce** *livre-**ci**,* **ce** *livre-**là**?*

- exprimer une nuance de **respect**, de **politesse** :

    Ces *messieurs désirent?* – *Au suivant de* **ces** *messieurs;*

- exprimer une valeur **affective** (laudative ou péjorative) :

    Ce *bel artiste!* – **Ce** *monstre d'enfant!*

c) L'adjectif indéfini

81. Ses formes – D'origine et de formes diverses, l'adjectif indéfini marque :
– soit une **quantité** :
- **nulle** (aucun, aucune, nul, nulle, pas un, pas une) :

    Je n'ai **nulle** *envie de les revoir, ces importuns;*

- **partielle** ou **vague** (certain(e)(s), maint(e)(s), quelque(s), quelconque(s), divers(e)(s), différent(e)(s), plusieurs) :

    Toujours par **quelque** *endroit fourbes se laissent prendre;*

- **totale** (chaque, tout, toute, tous, toutes) :

    A **tout** *seigneur,* **tout** *honneur* – *A* **chaque** *fou sa marotte;*

– soit l'**identité**, la **différence**, la **similitude** ou la **ressemblance** (même(s), autre(s), tel(le)(s)) :

    Autres *temps,* **autres** *mœurs* – **Tel** *pain,* **telle** *soupe.*

82. On range parmi les adjectifs indéfinis les **locutions** : je ne sais quel(le)(s), on ne sait quel(le)(s), n'importe quel(le)(s) :

    Il vient **je ne sais quelle** *odeur de sureau (Vallès)*
    (= quelque odeur = une quelconque odeur).

83. Ses emplois et valeurs – Comme les adjectifs possessif et démonstratif, il remplace généralement l'article et «**détermine**» le nom :

    certain *renard;* **nul** *repos;* **chaque** *été;*

Mais il peut accompagner l'article (ou un autre déterminant) :

    *l'***autre** *jour;* **un quelconque** *voisin;* **ces quelques** *livres...*

84. Remarques
a) **Chaque** est toujours au singulier, **plusieurs** toujours au pluriel, **aucun** et **nul** au singulier (sauf avec un nom pluriel sans singulier) :

    aucun(e) *ami(e);* mais **aucuns** *frais,* **nulles** *obsèques;*

b) Certains adjectifs indéfinis peuvent devenir **qualificatifs** :

>*certain matin (indéfini); je suis **certain** (qualificatif);*
>*nul travail (indéfini); un travail **nul** (qualificatif);*

c) **Tout, même, quelque, tel** ont diverses valeurs (voir § 469 sq);

d) **Aucun** et **nul** ont parfois une valeur **affirmative** :

>*Il réussit mieux qu'**aucun** (que **nul**) autre concurrent.*

d) L'adjectif interrogatif

85. Ses formes – L'adjectif **interrogatif** n'a qu'une forme, mais qui varie en **genre** et en **nombre** :

>*quel (m.s.)? quelle (f.s.)? quels (m.pl.)? quelles (f.pl.)?*

86. Ses fonctions – Comme les autres adjectifs pronominaux, il remplace l'article devant le nom, qu'il s'agisse d'une interrogation **directe** ou d'une interrogation **indirecte** (voir Syntaxe § 382) :

>*__Quel__ nom as-tu? – Dis-moi / **quel** nom tu as.*

Mais il précède souvent et le verbe et le sujet (**sujet inversé**) : il est alors **attribut du sujet** (en interrogation directe ou indirecte) :

>*__Quel__ est ton nom? – Dis-moi / **quel** est ton nom.*

87. Ses valeurs – Il a plusieurs nuances; en effet, il interroge :
– d'abord sur la **qualité** :

>*__Quel__ caractère a-t-il? – **Quelle** opinion as-tu?*

– mais aussi sur l'**identité** :

>*__Quel__ est cet homme? – **Quels** amis as-tu invités?*

– mais aussi sur la **quantité** :

>*__Quels__ gains ont-ils faits cette année?*

– et aussi sur le **rang** :

>*__Quel__ mois? Quelle année? – **Quelle** place as-tu en calcul?*

88. Il devient souvent **exclamatif**, avec diverses nuances **affectives** :
– il peut avoir une valeur laudative, ou péjorative :

>*__Quel__ champion! – **Quelle** chipie!*

– il peut exprimer la joie, ou la douleur :

>*__Quel__ bonheur! quelle joie! – **Quel** malheur! quelle horreur!*

e) L'adjectif relatif

89. L'adjectif **relatif** n'a qu'une forme, variable en **genre** et **nombre** :

> *lequel, laquelle, lesquels, lesquelles.*

Il **fusionne** avec **à** et **de** pour donner :

> *auquel, auxquel(le)s ; duquel, desquel(le)s.*

90. Comme tous les autres adjectifs pronominaux, il remplace l'article devant le nom ; devenu rare d'emploi, il ne se rencontre guère que dans la langue **judiciaire**, et dans la locution **«auquel cas»** :

> ***Lequel*** *individu fut vite incarcéré –* ***Laquelle*** *propriété sera mise en vente –* ***Auquel*** *cas je vous préviendrai.*

N.B. On le remplace plutôt par un **démonstratif** précédé de **et** :

> *Et cet individu... – Et cette propriété... – Et dans ce cas...*

B – LES ADJECTIFS NUMÉRAUX

a) L'adjectif numéral cardinal

91. Ses formes – L'adjectif **numéral cardinal** se présente sous l'aspect :
– d'un mot simple :

> *un, deux, trois..., seize, vingt... soixante, cent, mille ;*

– d'un mot composé (par addition, par multiplication, par multiplication et addition) :

> *dix-sept, soixante-dix-sept, quatre-vingts, cinq cents, quatre mille ; quatre-vingt-neuf, deux cent quatre-vingt-dix-sept, cinq mille deux cent trente-six...*

92. Remarques
a) 21, 31, 41, 51, 61 (et 71) prennent **et** devant **un** et **onze** :

> *vingt et un, trente et un,... soixante et un, soixante et onze ;*

b) Les autres composés inférieurs à **cent** prennent des **traits d'union** :

> *dix-huit, vingt-deux, soixante-six, soixante-dix-neuf ;*

c) 70, 80, 90 se disent dans certaines régions :

> *septante, octante* (ou *uitante,* ou *huitante*)*, nonante.*

93. Les adjectifs numéraux cardinaux sont **invariables**, sauf :
● **un**, qui varie en **genre** :

> *un chien, une chatte ; soixante et une pages ;*

● **vingt** et **cent** qui prennent un *-s* s'ils sont multipliés, sans être en plus suivis d'un autre nombre additionné :

> *quatre-vingts ans, trois cents pages, neuf cents francs*
> (mais *quatre-vingt-deux; trois cent six; neuf cent cinq*).

94. Ses emplois, ses fonctions – Comme l'article et l'adjectif pronominal, il introduit, il «**détermine**» le nom. On le rencontre seul ou accompagnant l'article ou l'adjectif pronominal :

> *trois amis; les (mes, ces) trois amis.*

95. a) Employé **seul**, sans le nom, il joue rôle de **pronom** :

> ***Trois*** *sont là* – *Ils sont* ***treize*** *à table* – *Prends-en* ***deux***.

b) Employé **seul**, et précédé d'un article, il devient un **nom** :

> *Avoir* ***un vingt*** *en dictée* – ***Le huit*** *gagne* – *Combien* ***le cent*** *d'huîtres?* – *Cela vaut* ***des cents*** *et* ***des mille***.

96. Ses valeurs – Il exprime essentiellement un nombre **précis**, une quantité précise, d'êtres ou de choses :

> *J'ai invité trois amis* – *Le jour a vingt-quatre heures;*

Mais dans certaines **expressions familières**, il perd de la précision et ne désigne qu'une quantité **vague** :

> *C'est à deux pas* – *Attends deux secondes* – *Je te l'ai dit vingt*
> *(cinquante, cent, mille, mille et une) fois...*

97. Parfois il prend curieusement la place d'un **ordinal**, pour indiquer : une date (année, jour, heure); les parties d'un ouvrage; les numéros d'une rue; les noms de souverains :

> *quinze cent quinze; le cinq mai; à six heures* –
> *tome deux, livre quatre, chapitre trois, page vingt-sept* –
> *le cent vingt de la rue Jean-Jaurès* – *Louis quatorze...*

b) L'adjectif numéral ordinal

98. Ses formes – On forme l'adjectif numéral ordinal à l'aide d'un **suffixe** (-ième) ajouté à l'adjectif cardinal correspondant :

> *trois, trois-**ième**; cent, cent-**ième**; mille, mill-**ième**;*

Dans les composés, seul le dernier élément prend le suffixe :

> *trente-huit**ième**; cent quatre-vingt-six**ième**.*

99. Remarques

a) Seuls **premier** et **second** n'utilisent pas ce suffixe **-ième**;

b) **Premier** est remplacé par **unième** dans les composés :

> *vingt et unième, quatre-vingt-unième, cent unième;*

c) **Second** concurrence **deuxième**, sauf dans les composés :

> *son second fils;* mais : *son vingt-deuxième ouvrage;*

d) **Premier** est parfois remplacé par **prime**; **troisième**, **quatrième** et **cinquième** par **tiers (tierce), quart(e), quint(e)** :

> *de **prime** abord; le **tiers** monde, une **tierce** personne; le **quart** livre; Charles **Quint**; une fièvre **quarte (quinte)**.*

100. Ses accords, ses fonctions – Si le cardinal (comme l'article et l'adjectif pronominal) «détermine» le nom, l'ordinal est plus proche de l'adjectif **qualificatif** (indiquer un rang, c'est **«qualifier»**) :

> *Il est **brillant** (ou **premier**) en français;*
> *il est **médiocre** (ou **vingtième**) en calcul.*

Et, comme l'adjectif qualificatif, il s'accorde en **genre** et **nombre** :

> *premier, première, premiers, premières.*

101. a) Il a les mêmes 4 **fonctions** possibles que l'adjectif qualificatif (épithète, attribut : du sujet, de l'objet, apposé; cf. § 338 sq) :

> *Mon **deuxième** fils est **troisième** en dictée – Je te croyais **sixième** en rédaction – **Quinzième** en calcul, elle est déçue;*

b) Employé seul, mais précédé de l'article, il joue un rôle de **pronom** :

> *Le **troisième** jalouse le **premier** – J'aime l'esprit du **second**;*

c) Employé seul, avec article et ellipse du nom (facile à rétablir grâce au contexte), il joue un rôle de **nom** :

> *habiter au **sixième** (étage), dans le **cinquième** (arrondissement); voyager en **première** (classe); partir le **deux** (2e jour); en scène pour le **trois** (3e acte); cinq colonnes à la **une** (1re page);*

d) **Rappel** – Souvent remplacé par le cardinal, il reparaît avec **premier** :

> *Napoléon III,* mais *Napoléon 1er; le 2 mai,* mais *le 1er mai.*

102. Les numéraux s'écrivent en chiffres **arabes, romains,** ou **en toutes lettres** :

> *1, 2, 3, 4, 5...; I, II, III, IV, V...; un, deux, trois, quatre, cinq...*

C – LES ADJECTIFS QUALIFICATIFS

103. Le plus important des compagnons du nom est l'**adjectif qualificatif**. Moins nécessaire que les «déterminants» (article, adjectif pronominal, numéral cardinal), il **complète** le nom et l'**enrichit** :

*chien, **beau** chien; le (mon, ce...) **beau** chien **noir**;*

L'adjectif qualificatif est un mot variable, qui exprime essentiellement une **qualité** de l'être ou de la chose désignés par le nom :

*un **bon** garçon; une **belle** chatte; une voiture **neuve**;*

Comme le nom, il varie en genre (m. ou f.) et en nombre (s. ou pl.) :

grand, grande; gris, grise; grand, grands; grise, grises.

a) Formation du féminin

104. D'une façon générale, on forme le féminin de l'adjectif qualificatif en ajoutant un *-e* à l'adjectif masculin :

grand, grande; noir, noire; pur, pure; loyal, loyale.

105. Exceptions

a) Parfois l'*e* final du féminin est précédé d'une **déformation** plus ou moins importante de la fin du masculin :

cruel, cruelle; gros, grosse; muet, muette; naïf, naïve; heureux, heureuse; léger, légère; menteur, menteuse; créateur, créatrice; vengeur, vengeresse; blanc, blanche; malin, maligne; turc, turque; grec, grecque; coi, coite; favori, favorite...

b) Notons quelques **curiosités** :
– quelques adjectifs en **-et** ne doublent pas le *t* final :

complète, désuète; mais : muette, nette, blette...

– quelques adjectifs en **-ot** doublent le *t* final :

boulotte, sotte, pâlotte...; mais : dévote, idiote...

– quelques adjectifs en **-s** doublent le *s* final :

basse, épaisse, lasse...; mais : grise, éparse...

– ***beau*** (bel), **nouveau** (nouvel), **fou** (fol), **mou** (mol), **vieux** (vieil) et **jumeau,** ont comme féminin :

belle, nouvelle, folle, molle, vieille, jumelle;

– les féminins de **aigu, ambigu, exigu, contigu** prennent un **tréma** sur l'*e* final (et non sur l'*u*) :

aiguë, ambiguë, exiguë, contiguë;

– **béni** (bénie) a un doublet : **bénit** (bénite) :

> *Père, sois béni ; Mère, sois bénie – Pain bénit, eau bénite ;*

– **hébreu** n'a pas de féminin ; **hébraïque** est masculin et féminin :

> *un texte hébraïque ; la langue hébraïque ;*

– **laïque** (m. et f.) peut s'écrire **laïc** au masculin.

> *un laïc ; un instituteur laïque ;*

N.B. Les masculins terminés en *-e* ne changent pas au féminin :

> *un vin rouge, une robe rouge ; un geste large, une rue large ;*
> (exception : *traître, traîtresse*).

106. Remarques

a) Certains adjectifs n'ont pas de **féminin** (parce qu'ils ne s'emploient qu'avec des noms masculins) :

> *nez aquilin ; pied bot ; hareng saur ; vent coulis...*

b) Certains adjectifs n'ont pas de **masculin** (parce qu'ils ne s'emploient qu'avec des noms féminins) :

> *bouche bée ; ignorance crasse ; dive bouteille ; main pote...*

c) Certains autres n'ont qu'une **forme** pour les deux genres (mots souvent **familiers, argotiques**) :

> *chic, bath, snob, mastoc, gnangnan, rococo, angora, kaki...*

d) **Grand** et **fort** ne prennent parfois pas d'*e* au féminin :

> *Grandville, Grandmaison, grand-chose, grand-mère (mère-grand) ; Rochefort, Roquefort, elle se fait fort de réussir...*

b) Formation du pluriel

107. D'une façon générale, on forme le **pluriel** de l'adjectif qualificatif en ajoutant un -s à l'adjectif singulier :

> *noir, noirs ; noire, noires.*

108. Exceptions

a) Prennent un -*x* au pluriel (et non un -*s*) :
– les 4 adjectifs **beau, jumeau, nouveau, hébreu** :

> *beaux fruits ; frères jumeaux ; vins nouveaux ; textes hébreux ;*

– presque tous les adjectifs en -*al*, qui donnent -*aux* :

> *tigres royaux ; exercices oraux ; conflits mondiaux...*

b) Les adjectifs terminés en -*s* ou -*x* au singulier ne changent pas :

> *murs gris ; gros chagrins ; poils roux ; jours glorieux...*

109. **Remarques**

a) **Bancal, fatal, final, naval** prennent un *-s* au pluriel :

> *des gestes fatals; des combats navals;*

b) **Jovial, pascal, pluvial** hésitent entre *-als* et *-aux;* **banal** donne banals (sauf dans des locutions féodales, avec four, moulin...) :

> *des gestes banals; des moulins banaux;*

c) **Glacial, natal, pénal, austral, boréal**... s'emploient surtout au singulier :

> *froid glacial; sol natal; droit pénal...*

d) **Bleu** et **feu** (= défunt; cf. § 113 c) prennent un *-s* et non un *-x:*

> *des yeux bleus; nos feus grands-parents.*

c) Accord de l'adjectif qualificatif

110. Quelle que soit sa **fonction** (épithète, attribut, apposé; cf. § 338 sq), il s'accorde en genre et en nombre avec le nom (ou le pronom) auquel il se rapporte :

> *C'est un **bel** homme – Ils sont **beaux** – Je la trouve **belle** – **Belles**, elles attirent tous les regards.*

111. S'il se rapporte à **plusieurs noms**, il se met au pluriel :

> *L'Amérique et l'Asie sont à peu près **égales** en superficie;*

Si les noms sont de **genre différent**, le masculin l'emporte :

> *A l'équinoxe, le jour et la nuit sont **égaux**.*

112. **Remarques**

a) Avec un seul nom pluriel, chaque adjectif peut être au singulier :

> *les langues latine et grecque; les codes civil et pénal;*
> *(cf. les dix-neuvième et vingtième siècles : ordinaux);*

b) Selon le sens, l'adjectif s'accorde ou non avec un seul nom :

> *un fromage et un fruit **sec**; un fromage et un fruit **secs**;*

c) Quand il se rapporte à un **pronom neutre**, il se met au masculin :

> *quelque chose de **beau** (de **bon**, de **laid**...);*

d) Dans le cas du **pluriel de politesse**, il reste au singulier :

> *Soyez **prudent**, monsieur – Vous êtes **gentille**, madame.*

113. **Curiosités**

a) Pour l'accord capricieux avec le nom **gens**, voir § 57, f).

b) Pour la locution **«avoir l'air»**, accord selon le sens :

> *Cette fillette a l'air (= semble) sérieuse;*
> *Cette fillette a l'air sérieux d'une grande personne.*

c) Pour l'adjectif **feu** (= défunt), accord ou non selon sa **place** :

> *feu la reine; feu ma grand-mère; feu mes aïeuls;*
> *la feue reine; ma feue grand-mère; mes feus aïeuls.*

d) **Demi, mi, semi** et **nu** placés devant nom ou adjectif, avec un trait d'union, jouent rôle de préfixes et sont invariables :

> *une demi-heure, des demi-portions; des yeux mi-clos, à mi-côte; des armes semi-automatiques; nu-tête, nu-pieds.*

Mais **demi** et **nu,** placés derrière le nom s'accordent : **demi** en genre seulement; **nu** en genre et en nombre :

> *deux heures et demie; tête nue et pieds nus.*

114. Attention aux adjectifs **composés**!

a) S'ils sont formés de deux **vrais adjectifs**, les deux s'accordent :

> *sourd(s)-muet(s); sourde(s)-muette(s);*

mais le premier des deux adjectifs reste parfois **invariable** :
- dans : grand-ducal, extrême-oriental, franc-comtois, franc-maçonnique, haut-allemand, bas-breton... :

> *les cours grand-ducales; les cultures extrême-orientales;*

- quand il se termine par un *-o* ou par un *-i* :

> *des sites gallo-romains; des situations tragi-comiques...*

b) S'ils sont formés de deux adjectifs dont le premier est employé **adverbialement**, seul le deuxième s'accorde :

> *nouveau-né(e), nouveau-né(e)s; court-vêtu(e), court-vêtu(e)s;*

Mais il convient de noter quelques curiosités :
- **Nouveau** est variable devant les participes autres que **né** :

> *des nouveaux mariés; de nouvelles venues;*

- C'est par **analogie** avec nouveau-né qu'on écrit :

> *mort-né, mort-née, mort-nés, mort-nées;*

- Dans **premier-né** et **dernier-né**, les deux éléments varient :

> *sa première-née, leurs derniers-nés;*

- **Frais, grand, large,** quoique adverbiaux, varient dans :

> *des roses fraîches écloses; des yeux grands ouverts;*
> *des bouches (des fenêtres) larges ouvertes;*

- Dans **tout-puissant**, tout n'est variable qu'au féminin (sing. et pl.)

    tout-puissant(s); toute(s)-puissante(s);

- **Fin** hésite entre les deux solutions (accord ou non) :

    elles sont fin prêtes (ou fines prêtes).

c) Si le premier élément est un mot **invariable**, seul l'adjectif varie :

    des régions sous-développées; des populations nord-africaines;
    des rayons ultra-violets (infra-rouges); haricots super-fins...

d) Dans les **adjectifs de couleur**, où le premier adjectif est précisé par un autre adjectif, ou par un nom, le groupe reste invariable :

    des robes bleu pâle, bleu foncé, bleu ciel, bleu roi;
    des rubans vert clair, vert sombre, vert pomme;
    une gravure noir et blanc; des cravates gris perle...

Les noms employés comme adjectifs de couleur (sauf : **mauve, rose, écarlate** et **pourpre**) restent invariables, surtout s'ils sont composés :

    des yeux marron, marron foncé; des rubans paille, paille clair;
    des corsages saumon, saumon fumé.

N.B. Il convient de **distinguer** :

    des cravates ***rose et bleu*** (les mêmes, mais bicolores);
    des cravates ***roses et bleues*** (différentes, et unicolores).

d) Degrés de l'adjectif qualificatif

115. Quelle que soit sa **fonction** (cf. § 338 sq), l'adjectif qualificatif peut exprimer divers **degrés de signification**, résumés ainsi :

Positif	Comparatif	Superlatif
sage	• de supériorité : *plus sage*	• de supériorité relatif : *le plus sage* absolu : *très sage*
	• d'égalité : *aussi sage*	
	• d'infériorité : *moins sage*	• d'infériorité relatif : *le moins sage* absolu : *très peu sage*

116. Le positif − L'adjectif qualificatif est au degré **positif** quand il exprime une qualité simple, sans nuance spéciale :

    il était fort, habile, courageux.

117. Le comparatif – Il est au degré **comparatif** quand il exprime une comparaison; il peut avoir trois nuances:

● le comparatif de **supériorité** (avec l'adverbe **plus**):

> *il était plus fort, plus habile, plus courageux;*

● le comparatif d'**égalité** (avec l'adverbe **aussi**):

> *il était aussi fort, aussi habile, aussi courageux;*

● le comparatif d'**infériorité** (avec l'adverbe **moins**):

> *il était moins fort, moins habile, moins courageux.*

118. Remarques
a) Retenir les 3 comparatif **irréguliers** (écrits en un seul mot):
– **meilleur**, comparatif de **bon** (on ne peut dire «*plus bon»):

> *Elle est bonne en calcul, meilleure en français;*

– **moindre**, comparatif de **petit**, employé surtout dans la langue littéraire (fortement concurrencé par **plus petit**):

> *un moindre mal; une valeur moindre (= plus petite);*

– **pire**, comparatif de **mauvais**, employé surtout dans la langue littéraire (fortement concurrencé par **plus mauvais**):

> *Il n'est pire eau que l'eau qui dort – Tu es pire que lui;*

N.B. **Pire** a un neutre: **pis** (la seule trace de neutre dans les adjectifs français; souvent remplacé, à tort, par le masculin):

> *Rien de pis que cela – Il ment, et, qui pis est, il triche.*

b) Les adjectifs **majeur, mineur, supérieur, inférieur, antérieur, postérieur...** sont, étymologiquement, des comparatifs:

> *majeur (= plus grand); mineur (= plus petit).*

119. Pour le **complément du comparatif**, voir Syntaxe § 330.

120. Le superlatif – L'adjectif qualificatif est au degré **superlatif** quand il exprime une qualité poussée à un haut point.
Il contient les nuances suivantes:

a) le superlatif de **supériorité**, avec deux sous-nuances:
● le superlatif de supériorité **relatif**:

> *Il était le plus fort, le plus habile, le plus courageux,*

(c'est le comparatif de supériorité précédé de l'article défini);
● le superlatif de supériorité **absolu**:

> *Il était très fort, très habile, très courageux,*

(c'est le positif précédé de l'adverbe **très**);

b) le superlatif d'**infériorité**, avec deux sous-nuances :
● le superlatif d'infériorité **relatif** :

> *Il était le moins fort, le moins habile, le moins courageux.*
(c'est le comparatif d'infériorité précédé de l'article défini);

● le superlatif d'infériorité **absolu** :

> *Il était très peu fort, très peu habile, très peu courageux.*
(c'est le positif précédé des deux adverbes **très** et **peu**).

121. Remarques

a) Il n'existe pas, évidemment, de superlatifs d'égalité;

b) Dans les superlatifs absolus :
● **très** peut être remplacé par : bien, fort, extrêmement, tout à fait...
● **très peu** peut être remplacé par : bien peu, fort peu... :

> *Elle est bien (fort) jolie – Il est rudement (drôlement) fort;*

c) Le superlatif d'infériorité absolu est rare; on utilise plutôt son **antonyme** (§ 40) au superlatif de supériorité absolu :

> *fort peu jolie = fort laide; très peu rapide = très lent;*

d) Retenir les 3 superlatifs **irréguliers** : le meilleur (bon), le moindre (petit), le pire (neutre : le pis) (mauvais) (cf. § 118, a) :

> *le meilleur (le moindre) vent; le pire ennui; c'est là le pis;*

e) Sont, pour le sens, de vrais superlatifs de supériorité absolus :
● les dérivés **richissime, rarissime, sérénissime, minime, ultime** :

> *un mécène richissime; une dépense minime;*

● les composés **archibanal, archiconnu, extra-fort, extra-fin, suraigu, surfin, superfin, hypertendu, hypernerveux...** :

> *un air archiconnu; des haricots surfins; un cri suraigu...*

122.
Employé seul, le superlatif peut jouer le rôle d'un **nom** (cf. § 291) :

> *Que le plus coupable périsse (La Fontaine);*

Il peut même alors prendre une valeur de **neutre** :

> *Au plus fort de l'été...; au plus profond des forêts...*

123.
Pour le **complément du superlatif,** voir Syntaxe § 332.

4 – LE PRONOM

124. Si le nom peut avoir des **compagnons** (articles et adjectifs divers), il peut avoir aussi des **remplaçants**, spécialement les **pronoms** :

> *Légère et court vêtue, elle allait à grands pas.*
> *(elle = Perrette, la célèbre laitière de La Fontaine)* ;

Mot variable, le pronom varie en genre, en nombre, parfois en personne :

> *Il (elle) allait – Ils (elles) iront – Tu vas (vous allez)* ;

N.B. Si le **nom** (et aussi l'**adjectif**, cf. § 112, c ; 118, a ; 122) a perdu le genre **neutre**, le pronom l'a conservé, et vivace :

> *Elle pense à **tout** – **Cela** m'étonne – C'est **ce dont** je doute.*
> *C'est bon – C'est encore pis - **Quoi** de neuf? (de nouveau?)*

125. Il y a 6 sortes de pronoms : les pronoms **personnels, possessifs, démonstratifs, indéfinis, interrogatifs** et **relatifs.**

a) Le pronom personnel

126. Ses rôles – Le pronom personnel a pour rôle essentiel de remplacer le nom, dont il permet d'éviter la **répétition** :

> *Cette femme aime les chats; **elle les** soigne bien*
> *(**elle** = cette femme; **les** = les chats)* ;

D'autre part il indique, étymologiquement, le **personnage** (le rôle, comme au théâtre) tenu, joué par :
- l'être, ou la chose personnifiée, qui parle : 1re personne : **je**;
- l'être, ou la chose personnifiée, à qui l'on parle : 2e p. : **tu**;
- l'être, ou la chose, de qui (dont) on parle : 3e p. : **il, elle**.

127. Ses formes – Ses formes sont diverses et variées; elles varient en genre, en nombre, et en personne, selon le tableau suivant :

Personnes	Singulier	Pluriel
1re personne (m. ou f.)	je, me, moi	nous
2e personne (m. ou f.)	tu, te, toi	vous
3e personne (masc.)	il, le, lui	ils, eux, les, leur
3e personne (fém.)	elle, la, lui	elles, les, leur
3e personne (m. ou f.)	se, soi, en, y	se, en, y
3e personne (neutre)	il, le, se, en, y	

128. Remarques
a) On constate qu'une même forme peut, selon le contexte, être du masculin, du féminin ou du neutre; du singulier ou du pluriel.

On constate aussi que le **neutre** n'existe qu'à la 3ᵉ p. et au sing. :

> *Il pleut* – *Je le sais* – ***Cela** se dit* – *J'en ris* – *Je n'y peux rien;*

b) Je, me, te, le, la, se **s'élident** devant *voyelle*, h muet, *en* et *y* :

> *J'arrive* – *Tu m'honores* – *Il t'en veut* – *On s'y rend.*

c) On distingue les formes **atones** et les formes **toniques** :

> ***Toi*** *(tonique),* ***tu*** *(atone) ris;* ***moi*** *(tonique),* ***je*** *(atone) pleure.*

N.B. L'**insistance** peut renforcer les formes toniques à l'aide de : même, autre, seul, pour, quant à, ou d'un numéral :

> *Fais-le toi-même* – *Nous autres* – *Eux seuls* – *Vous quatre, nous cinq* – *Pour moi (quant à moi), je préfère la musique.*

129. Ses emplois – Son emploi appelle quelques remarques :
a) **Nous** remplace **je** dans le pluriel de **majesté** :

> ***Nous****, Président de la République...*
> *(cf. Je soussigné, monsieur Untel, ...)*

b) **Vous** remplace **tu** dans le pluriel de **politesse** :

> ***Vous*** *êtes bien aimable, monsieur (ou madame).*

c) **Nous** remplace parfois **tu** ou **vous** dans la langue familière :

> ***Nous*** *avons été sage(s)?* – ***Nous*** *sommes encore puni(e)(s)!*

N.B. On rencontre même **on** pour **je** ou **nous**; et pour **tu** ou **vous** :

> *Vous verra-t-**on** demain? – A-t-**on** été sage(s) aujourd'hui?*

d) **Soi** s'emploie avec un sujet vague :

> *Chacun pour **soi*** *– Il faut penser à **soi** (et aussi à autrui!)*

Dans la langue classique, on le trouvait avec un sujet déterminé :

> *Gnathon ne vit que pour **soi** (La Bruyère);*

ce qui évitait l'**équivoque** de la langue d'aujourd'hui :

> *Il pense à **lui** (lui = soi, le sujet? ou une autre personne?)*

N.B. Attention à **soi-disant**, qui ne s'emploie que pour les personnes :

> *un **soi-disant** champion (c'est lui qui se dit champion);*

pour les choses, on ne peut employer que «**prétendu**» :

> *un **prétendu** exploit, une **prétendue** réussite...*

e) **En** et **y** sont, étymologiquement, des adverbes de lieu :

> *J'**en** viens (= de là) – J'**y** suis, j'**y** reste (= là);*

mais par glissement ils peuvent devenir pronoms personnels :

> *en : de lui, d'eux, d'elle(s), de cela;*
> *y : à lui, à eux, à elle(s), à cela.*

La langue pure les réserve aux **choses**, les évite pour les **êtres** :

> *J'y songe (choses); je songe à lui, à elle(s), à eux (êtres);*
> *J'en parle (choses); je parle de lui, d'elle(s), d'eux (êtres);*

f) Au **neutre**, le pronom personnel peut remplacer non pas un nom, mais un **adjectif qualificatif**, et même toute une **proposition** :

> *Es-tu sage? ... Je le suis (le = sage).*
> *Elle devient aimable; j'en suis ravi (en = la 1re proposition).*

130. Ses fonctions – Pronom, il a toutes les **fonctions** possibles du nom :

> *Paul (sujet) offre un fruit (objet) à Pierre (attribution)*
> *= Il (sujet) le (objet) lui (attribution) offre.*

131. Remarques

a) Le pronom neutre **il** est souvent sujet apparent (ou grammatical) :

> *Il court des bruits fâcheux (= des bruits fâcheux courent);*

b) Jadis le pronom sujet n'était pas obligatoire, surtout avec le neutre **il** :

> *Fais ce que dois (tu) – Suffit! – Si bon te semble...*

c) Le pronom personnel est parfois **explétif** (sans valeur grammaticale) :

> *Je m'en vais – Paul vient-il? – Voyez-moi ce vaurien!...*

d) Quand il n'est pas sujet, préciser s'il est **réfléchi** ou **non réfléchi** :

> *Je me blesse (réfléchi) – Tu me blesses (non réfléchi).*

132. Sa place – La place du pronom personnel complément est capricieuse :

● Quand le verbe est **précédé** de 2 pronoms compléments, le complément d'objet direct (c.o.d.) est en 2e position :

> *On me le dit – Je vous la donne;*

sauf si l'autre complément est **lui** ou **leur** (ordre inverse) :

> *On le lui dit – Je la leur donne;*

● Quand le verbe est **suivi** de 2 pronoms compléments, le c.o.d. est en 1re position :

> *Rends-le-moi – Dis-le-leur – Proposons-la–lui;*

mais avec **nous** comme autre complément, l'ordre est indifférent :

> *Rends-le-nous ou Rends-nous-le;*

● Quand le pronom est complément d'un infinitif objet, il précède immédiatement ledit infinitif :

> *Je veux te rencontrer – Elle sut nous retrouver;*

mais dans la langue **classique**, on le plaçait devant le 1er verbe :

> *Je **te** veux rencontrer – Elle **nous** sut retrouver;*

ainsi que devant un **2e impératif** coordonné :

> *Poète, prends ton luth et **me** donne un baiser (Musset).*

b) Le pronom possessif

133. Ses formes – Le pronom possessif n'est autre que l'adjectif possessif **tonique** (voir § 73, b) précédé de l'article **défini** :

> *Un mien cousin : le mien – Une sienne amie : la sienne;*

Il varie en genre, en nombre et en personne, selon le tableau suivant :

		m. s.	f. s.	m. pl.	f. pl.
Un seul possesseur	1re p.	*le mien*	*la mienne*	*les miens*	*les miennes*
	2e p.	*le tien*	*la tienne*	*les tiens*	*les tiennes*
	3e p.	*le sien*	*la sienne*	*les siens*	*les siennes*
Plusieurs possesseurs	1re p.	*le nôtre*	*la nôtre*	*les nôtres*	*les nôtres*
	2e p.	*le vôtre*	*la vôtre*	*les vôtres*	*les vôtres*
	3e p.	*le leur*	*la leur*	*les leurs*	*les leurs*

N.B. Introduit par **à** et **de**, il a des formes **contractées** :

> *au mien, du tien; aux vôtres, des leurs...*

134. Ses emplois et fonctions – Il remplace un nom précédé d'un adjectif possessif **atone**, et permet d'éviter la **répétition** dudit nom :

> *J'ai relu ta lettre, puis **la mienne** (= ma lettre);*
> *Nos parents connaissent **les vôtres** (= vos parents).*

135. Pronom, il a toutes les **fonctions** possibles du nom (voir Syntaxe) :

> *Sa main trembla **dans la mienne** (c. circ. de lieu).*

N.B. Il prend même parfois valeur de **nom** :

> *Il aime **les siens** (ses parents) – **Les nôtres** ont gagné (nos athlètes) – A **la tienne!** A **la vôtre!** (à ta, à votre santé)...*

136. Complément, il a le sens **réfléchi** ou le sens **non réfléchi** :

> *J'aime **le mien** (réfléchi) – Tu aimes **le mien** (non réfléchi).*
> *J'aime **le sien** (non réfléchi) – Elle aime **le sien** (réfléchi).*

c) Le pronom démonstratif

137. Ses formes – Les formes du pronom démonstratif sont **simples** ou **composées**, et se répartissent selon le tableau suivant :

	m. s.	**f. s.**	**n. s.**	**m. pl.**	**f. pl.**
Formes simples	celui	celle	ce	ceux	celles
Formes composées	celui-ci celui-là	celle-ci celle-là	ceci cela	ceux-ci ceux-là	celles-ci celles-là

138. Remarques

a) Le **neutre**, fréquent au singulier, n'existe pas au pluriel :

> *Retenez bien **ceci** – Pourquoi as-tu fait **cela**?*

b) **Cela** est souvent réduit, familièrement, à **ça** (sans accent) :

> *Si tu me fais ça, tu me le paieras.*

Ne pas confondre avec **çà** (adverbe de lieu), ou **çà** (interjection)

> *Errer çà et là – Çà, dit-il, revenons à nos moutons.*

c) *Ce* s'élide devant voyelle, et avec **cédille** devant un *a* :

> *C'est dit – C'en est fait de lui – Ç'a été dur.*

139. Ses emplois et valeurs – Il remplace un nom précédé d'un adjectif démonstratif, et permet d'éviter la **répétition** dudit nom :

> *Je prends ce livre-ci, plutôt que celui-là (ce livre-là).*

140. Comme l'adjectif démonstratif (§ 80), il exprime diverses nuances :

a) Avec **-ci**, il marque la **proximité**, avec **-là**, l'**éloignement** :

> *Ce pays-ci, celui-ci; ce pays-là, celui-là;*

b) Dans un **parallèle**, **-ci** renvoie au dernier nommé, **-là** au 1ᵉʳ nommé :

> *Paule ou Anne, je préfère celle-ci (Anne) à celle-là (Paule);*

c) Dans un **parallèle**, **celui-ci** et **celui-là** peuvent marquer une simple distinction, avec valeur d'indéfinis :

> *Celui-ci (= l'un) est bon, celui-là (= l'autre) mauvais;*

d) En proposition **exclamative**, il peut prendre une valeur affective, laudative ou péjorative :

> *Celle-là, quelle artiste! – Celui-là, un vaurien!*

e) Au **neutre**, il peut remplacer un pronom **personnel** :

> *C'est haut comme trois pommes et* **ça** *veut commander.*

141. Ses fonctions – Pronom, il a toutes les **fonctions** du nom (cf. Syntaxe) :

> *Sa voix tremble comme* **celle d'une chèvre** *(c.c. de comparaison)*

Attention à la fonction du pronom neutre **ce** :
a) Il est souvent **sujet** (avec un attribut) :

> *C'est beau – C'est une erreur – C'est moi – C'est vous;*

mais avec **eux, elles**, un **nom pluriel**, le verbe est plutôt au pluriel :

> *Ce sont eux – C'étaient elles – Ce furent de bons moments.*

b) Il est aussi **sujet** (sans attribut) dans des expressions **figées** :

> *Ce me semble – Ce nonobstant – Ce néanmoins.*

c) Il est **c.o.d.** dans des expressions **figées** comme :

> *Ce disant – Ce faisant – Ce dit-on – Pour* **ce** *faire ...*

et même parfois **complément circonstanciel** :

> *Sur* **ce**, *il tourna les talons (c.c. de temps).*

142. Il a souvent un **complément** (cf Syntaxe § 323-324).

d) Le pronom indéfini

143. Ses formes et valeurs – Le pronom indéfini remplace un nom précédé d'un adjectif indéfini :

> *Et* **chacun** *fit silence (chacun = chaque assistant).*

Ses formes, comme celles de l'adjectif indéfini (§ 81), sont d'origine et d'apparence variées; il marque, en effet, une **quantité** :

a) **nulle** : personne, rien, aucun, nul, pas un, ni l'un ni l'autre :

> *Et* **nul** *ne se connaît tant qu'il n'a pas souffert;*

b) **partielle** ou **vague** : l'un, l'autre, l'un ou l'autre, l'un l'autre, un autre, on, quelqu'un, quelque chose, autrui, certains, plusieurs, d'autres, autre chose :

> *On doit respecter l'opinion d'***autrui** *– Pensez à* **autre chose** *–* **Certains** *se crurent perdus,* **d'autres** *espérèrent...*

c) **totale** : chacun, tout un chacun, l'un et l'autre, tout, tous :

> *Ils ne mouraient pas* **tous**, *mais* **tous** *étaient frappés.*

144. La plupart des pronoms indéfinis varient en **genre** et en **nombre** :

> *quelqu'un(e), quelques-un(e)s, l'un(e), les un(e)s ...*

● mais certains sont toujours au **singulier** :

> *personne, pas un(e), on, autrui, chacun(e) ...*

● d'autres sont toujours au **pluriel** :

> *certain(e)s, plusieurs, d'autres, tous, toutes;*

● d'autres enfin, étant du **neutre,** sont **invariables** :

> *rien, autre chose, quelque chose, tout.*

145. On range parmi les pronoms indéfinis les **locutions** : je ne sais (on ne sait) qui (quoi, lequel, laquelle, lesquel(le)s; n'importe qui (quoi, lequel, laquelle, lesquel(le)s :

> *Il raconte encore **je ne sais quoi** (= quelque chose) **à je ne sais qui** (= à quelqu'un) – Tu dis **n'importe quoi**...*

146. Remarques

a) **Aucun**, singulier marquant une quantité **nulle**, a un pluriel (archaïsant) aucuns, d'aucuns, marquant une quantité **partielle** :

> ***D'aucuns** (= certains) prétendent que tu as menti;*

b) **On**, qui est étymologiquement **un nom** (= homme), peut, comme le nom, être introduit par l'article défini élidé (l'on = l'homme) :

> *Ici **l'on** chante, ici **l'on** rit.*

147. Ses fonctions – Pronom, il a toutes les fonctions du nom (cf Syntaxe) :

> *Causer **avec quelqu'un** soulage quand **on** a de la peine (**quelqu'un** : c.c. d'accompagnement; **on** : sujet).*

148. Pour le **complément** du pronom indéfini, et pour l'**adjectif épithète** du pronom indéfini, voir Syntaxe § 323-324 et 342 c).

e) Le pronom interrogatif

149. Ses formes et emplois – Le pronom interrogatif remplace un nom précédé d'un adjectif interrogatif :

> ***Qui** va là? (qui = quel être, quelle personne?)*

Il possède des formes :

● **invariables** : qui? que? (qu'?), quoi?
● **variables** : lequel? laquelle? lesquels? lesquelles?
● **renforcées** : qui est-ce qui? qui est-ce que? qu'est-ce qui? qu'est-ce que?

qu'est-ce que c'est que? à (de, avec, par, pour ...) qui (quoi) est-ce que?
(surtout dans le style **familier**) :

> *Qui es-tu? Laquelle veux-tu? Qu'est-ce qui se passe?*
> *De qui (de quoi) est-ce que vous parlez? ...*

N.B. Les pronoms variables peuvent **fusionner** avec **à** et **de** : Auquel? auxquel(le)s? – Duquel?
desquel(le)s?

> ***Auquel*** *de tes amis as-tu écrit?*

150. Remarques

a) Variable ou non, il est (selon le contexte) du masculin, du féminin ou du
neutre, du singulier ou du pluriel :

> ***Qui*** *(féminin s.) est-elle?* ***Qu'est-ce que*** *(neutre s.) tu dis?*

b) On le rencontre aussi bien en subordonnée interrogative (§ 381-385)
qu'en indépendante (ou principale) interrogative :

> ***Qui*** *es-tu? – Dis-moi /* ***qui*** *tu es.*
> ***De quoi*** *parlez-vous? – J'aimerais savoir /* ***de quoi*** *vous parlez.*

151. Ses fonctions – Pronom, il a toutes les **fonctions** possibles du nom
(cf Syntaxe), qu'il soit en subordonnée ou en indépendante :

> ***Qui*** *a appelé? – Dis-moi /* ***qui*** *a appelé (qui : sujet du verbe).*
> ***A qui*** *as-tu prêté ce livre? – Dis-moi /* ***à qui*** *tu as prêté ce livre*
> *(c. d'attribution).*

152. Remarques

a) **Qui** (sans préposition) est généralement **sujet** :

> ***Qui*** *va là? –* ***Qui*** *vient de téléphoner?*

mais il peut être **attribut du sujet**, ou **c.o.d.** :

> ***Qui*** *es-tu? Je te dirai /* ***qui*** *tu es (attribut);*
> ***Qui*** *aimes-tu? Dis-nous /* ***qui*** *tu aimes (c.o.d.).*

b) **Que** est généralement **c.o.d.** :

> ***Que*** *dis-tu? –* ***Que*** *faisons-nous demain?*

mais il peut être **attribut du sujet**, ou même **sujet réel** :

> ***Que*** *devenez-vous?* ***Que*** *se passe-t-il?*

c) Le pronom interrogatif se rencontre en proposition **elliptique** :

> *«Je viens de téléphoner –* ***A qui?****» (c. d'attribution) (dialogue);*
> *«Elle a reçu une lettre –* ***De qui?****» (c. de provenance).*

153. Pour le complément du pronom interrogatif, et pour l'adjectif épithète
du pronom interrogatif, voir Syntaxe § 232-324 et 342 c.

f) Le pronom relatif

154. Son rôle et ses formes – Le pronom relatif remplace un nom précédé de l'adjectif relatif :

>   *Je te présente l'ami / **qui** m'a aidé (qui = lequel ami).*

C'est, avec le pronom personnel, le plus important des pronoms. Plus **complexe** que les autres pronoms, il ne se borne pas à remplacer un nom; il établit un lien, une **relation** (d'où son nom) entre deux propositions :

>   *Il laboure le champ / **que** labourait son grand-père.*
>   (***que*** remplace ***le champ*** et relie 2 propositions.)

155. Le pronom relatif possède des formes :
- **invariables** (simples) : qui, que (qu'), quoi, dont, où :

>   *Je connais bien la ville / **où** vous vivez;*

- **variables** (composées) : lequel, laquelle, lesquels, lesquelles :

>   *Je connais bien la ville **dans laquelle** vous vivez;*
>   *Malheur à celui / **par lequel** le scandale arrive;*

Variable ou non, il est, selon le contexte, au masculin, au féminin ou au neutre, au singulier ou au pluriel :

>   *Voyez le chagrin de notre amie / **qui** part (qui = amie: f. s.);*
>   *Voilà ce / **dont** j'ai à me plaindre (dont = ce: n. s.)*

N.B. Le pronom relatif variable peut **fusionner** avec **à** et **de** : auquel, auxquel(le)s; duquel, desquel(le)s.

>   *Voilà les pays **auxquels** je pense bien souvent;*
>   *Voici les montagnes sur les pentes **desquelles** nous aimons skier.*

156. Remarques

a) **Dont** est un ancien adverbe; **où** est un adverbe qui peut devenir pronom relatif. On les appelle parfois **adverbes relatifs** :

>   *La ville / **dont** je parle / est celle / **où** elle habite.*

b) Ne pas confondre les pronoms **relatifs** qui, que (qu'), quoi, lequel avec les pronoms **interrogatifs** identiques (§ 149-152) :

>   *Je connais l'homme / **qui** arrive (qui: pronom relatif);*
>   *Je ne sais pas / **qui** arrive (qui: pronom interrogatif).*

157. On range parmi les pronoms relatifs les pronoms **composés** : quiconque, qui que, quoi que, qui que ce soit qui, qui que ce soit que, quoi que ce soit qui, quoi que ce soit que :

>   *Qui que tu sois, quoi que tu aies fait, entre chez moi.*

158. Son antécédent – Le mot ou groupe de mots repris par le pronom relatif est son **antécédent** (= «qui va devant»), lequel peut être :
● un **nom** ou un **groupe du nom** :

> Voilà **un petit coin charmant** / qui me plaît beaucoup;

● un **pronom** (surtout personnel ou démonstratif) :

> C'est **lui** / qui ment – **Celle** / qu'il aime / est brune;

● un **adjectif qualificatif** (au positif ou au superlatif) :

> **Sot** / que tu es! – **La plus belle** / qui soit (que j'aie vue);

● un **adverbe de lieu** (partout, ici, là) :

> Elle revient vivre **là** / où elle a connu le bonheur;

● et même toute une **proposition** :

> **Allez courir les bois,** / après quoi vous vous reposerez;
> **Il nous insulta,** / sur quoi il tourna les talons.

159. Remarques

a) Il arrive souvent que l'antécédent soit **omis** :

> Qui dort dîne – J'aime qui m'aime – Il le dit à qui veut l'entendre – Elle a de quoi vivre – J'irai où tu vis.

b) Quand l'antécédent de **qui** est un pronom personnel, le verbe s'accorde aussi en personne (cf. § 422 et 444) :

> C'est **moi** / qui **suis** le chef – C'est **vous** / qui **êtes** en tête – C'est **nous** qui **partirons** les derniers;

même quand l'antécédent (tu, vous) est omis :

> Je vous admire, ô laboureurs / qui **travaillez** tant!

N.B. Avec **que**, veiller à l'accord du **participe passé** (cf § 450) :

> Les truites / **que** tu as **capturées** / sont magnifiques.

160. Sa place – Le pronom relatif est le 1er mot de sa proposition sauf :
● s'il est précédé d'une préposition ou d'une locution prépositive :

> Voici l'homme / à (pour, en faveur de) qui j'ai parlé hier.

● s'il est complément d'un nom précédé d'une préposition :

> Connais-tu l'homme / à la table de qui j'étais assis hier?

161. Ses emplois et fonctions – Pronom, il a toutes les **fonctions** possibles du nom. Ses fonctions étant assez subtiles à maîtriser, même pour **qui** et **que**, et surtout pour **dont**, nous en reportons le détail dans la partie Syntaxe, après l'étude des fonctions du nom (voir § 353).

5 – LE VERBE

A – GÉNÉRALITÉS

162. Action, état – Des mots variables, le plus variable est le verbe, avec sa très riche **conjugaison**. Il est le **mot-roi** de la proposition, tout dépend de lui; il exprime essentiellement :

● une **action** faite, ou subie, par le sujet (**verbe d'action**) :

> Le vent *souffle* – Le chêne *est abattu* par la tempête;

● un **état** du sujet (**verbe d'état**) :

> Le vent *est* violent – Les marins *semblent* inquiets.

163. Les trois groupes – D'après leur **infinitif présent**, on distingue :

● les verbes du **1er groupe** (**-er**), de loin les plus nombreux :

> *aimer, chanter, manger, lancer, jeter, payer, saluer ...*

● les verbes du **2e groupe** (**-ir**; participe présent **-issant**) :

> *finir (finissant), rougir (rougissant), chérir (chérissant) ...*

● les verbes du **3e groupe** (**-ir**, participe présent **-ant**; **-oir**; **-re**) :

> *courir (courant), mourir, ouvrir, partir, tenir, venir ...;*
> *devoir, pouvoir, savoir, voir, vouloir, valoir ...;*
> *attendre, boire, craindre, croire, dire, faire, mettre ...*

164. Remarques

a) **Les 1er et 2e groupes forment la conjugaison dite vivante**; ils servent de modèles aux verbes nouvellement créés (néologismes) :

> *radiographier, téléviser, pasteuriser, atomiser ...*
> *amérir (amerrir), vrombir, alunir ...*

b) **Le 3e groupe, lui, forme la conjugaison dite morte** : tous ses verbes sont plus ou moins **irréguliers** et **en recul** constant :

> *choir* a reculé devant *tomber, quérir* devant *chercher,*
> *férir* devant *frapper, résoudre* devant l'affreux **solutionner,*
> *émouvoir* devant l'affreux **émotionner ...*

c) Pour les verbes dits **défectifs**, voir Appendices § 440.

165. Les trois voix – Le verbe d'action peut se présenter sous 3 aspects :

● Il est à la voix **active** si le sujet fait l'action :

> Le vent *souffle,* nous *fermons* nos fenêtres;

● Il est à la voix **passive** si le sujet subit l'action :

> L'arbre *est abattu,* ses feuilles *sont emportées* par le vent;

• Il est à la voix **pronominale** s'il est précédé d'un pronom personnel complément représentant le sujet :

> Le vent **se calme**, nous **nous réjouissons**.

166. Remarques

a) De très nombreux verbes peuvent exister **aux 3 voix** :

> blesser : je blesse, je suis blessé, je me blesse.

b) Certains verbes n'existent qu'à la voix **active** :

> avoir, être, venir, partir, tomber, sembler, paraître ...

c) Certains verbes n'existent qu'à la voix **pronominale** (§ 434) :

> se souvenir, s'écrier, s'abstenir, s'emparer, se repentir ...

167. Les divers sens – Dans l'analyse du verbe, après avoir cerné sa voix, on doit en préciser le sens.

• Pour un verbe **actif**, on dit s'il est transitif ou intransitif :

– Il est **transitif** s'il est accompagné d'un c.o.d. :

> J'attends **un ami** – Je **l'**attends – Voilà l'ami / **que** j'attends;

– Il est **intransitif** s'il n'est pas accompagné d'un c.o.d. :

> Mon père part (lundi); il reviendra (bientôt);

• Pour un verbe **pronominal**, il importe de maîtriser ses 4 nuances : sens **réfléchi, réciproque, passif, vague** (voir § 434) :

> Je me lave (réfléchi) – Ils se querellent (réciproque);
> Ces fruits se vendent cher (= sont vendus), (passif);
> Ils s'emparent de (= ils prennent) la ville (vague);

distinction très importante aussi pour l'accord de son **participe passé** (voir § 452 sq.)

• Pour un verbe **passif**, pas de sens à préciser.

168. Remarque – Dans les verbes actifs de sens transitif, on peut indiquer s'ils sont **transitifs directs** (avec c.o.d.), ou **transitifs indirects** (avec c.o.i.) (voir Syntaxe, § 299) :

> Elle évoque sa jeunesse – Elle se souvient de sa jeunesse;

Seuls les verbes **transitifs directs** peuvent prendre la voix **passive** :

> Le vent abat le chêne = Le chêne est abattu par le vent.

169. Les sept modes – Quelle que soit sa voix (active, passive, pronominale), un verbe a **7 modes** possibles :

– 4 modes **personnels**, avec formes variant selon les personnes : l'indicatif, le conditionnel, l'impératif, le subjonctif;

– 3 modes **impersonnels**, qui ne varient pas selon les personnes : l'infinitif, le participe, le gérondif.

170. Chacun des 7 modes a une valeur précise :
- L'**indicatif** est essentiellement le mode du **réel** :

    Je chante – Tu ris – Elle pleure;

- Le **conditionnel** exprime l'**éventuel** :

    J'aimerais voyager en Océanie;

- L'**impératif** exprime avant tout l'**ordre** et la **défense** :

    Taisez-vous – Ne nous retardez pas;

- Le **subjonctif** est le mode du **doute**, du **fait pensé** ou **voulu** :

    Je veux que tu répondes franchement;

- L'**infinitif** est avant tout la **forme nominale** du verbe :

    Partir (= le départ) c'est mourir un peu (= une mort partielle);

- Le **participe** est la forme **adjective** du verbe :

    Je viens de lire une histoire palpitante;

- Le **gérondif** est la forme **adverbiale** du verbe :

    Elle chante en travaillant.

171. Les temps – Chaque mode a un ou plusieurs temps.
– Le plus **pauvre**, le **gérondif**, n'a qu'un seul temps (le présent) :

    en chantant, en rêvant, en courant, en se promenant;

– Le plus **riche** et de loin, l'**indicatif**, a 8 (ou mieux 10) temps, sans compter les surcomposés et l'emploi des semi-auxiliaires (§ 430 et N.B.) :

    Je chante, j'ai chanté, j'ai eu chanté, je vais chanter ...

172. On distingue :
- les temps **simples**, formés de 2 éléments : le radical et la terminaison; le radical donne la signification du verbe, la terminaison (ou désinence) précise mode, temps, personne et nombre dudit verbe :

    tu chant-as; qu'elle chant-ât; ils chant-aient;

- les temps **composés**, formés de 2 éléments : un temps simple d'un auxiliaire + le participe passé du verbe employé, ou un temps simple d'un semi-auxiliaire + l'infinitif du verbe employé :

    tu as chanté; nous allons chanter; vous venez de chanter;

- les temps **surcomposés**, formés de 2 éléments : un temps composé d'un auxiliaire + le participe passé du verbe employé (on les rencontre surtout dans la langue parlée et patoisante):

> *Quand j'ai eu (j'avais eu, j'aurai eu, j'aurais eu) fini ...*

173. Remarques

a) Le **radical**, souvent invariable (1er groupe), peut être très **variable** (3e groupe, et verbe **aller**):

> *il veu-t, il voul-ait, veuill-ez; tu va-s, tu all-ais, tu ir-as;*

b) Les **terminaisons,** très variables, varient selon : la personne et le nombre, le temps, le mode; ex. pour le 1er groupe :

> *-e, -es, -e, -ons, -ez, -ent (indic. prés. actif);*
> *-ais, -ais, -ait, -ions, -iez, -aient (indic. impft. actif);*
> *-asse, -asses, -ât, -assions, -assiez, -assent (subj. impft.).*

174. Les auxiliaires – Avoir et être

(tous deux du 3e gr.) sont appelés **auxiliaires** parce qu'ils aident à la conjugaison des autres verbes. Mais ils ne sont pas toujours «auxiliaires»; en effet :

– **Avoir** peut exprimer sa pleine valeur de **possession** :

> *J'ai (= je possède) un chat – Il aura (= possédera) un chien;*

– **Être** peut avoir diverses valeurs, par exemple, selon le contexte :
● lier un attribut à son sujet (verbe **«copule»**) :

> *Elle est gaie – Tu seras médecin – Il était professeur;*

● signifier : **exister**, **se trouver**, **aller**, **appartenir** :

> *Je pense, donc je suis (= j'existe) – Il est au salon (se trouve) – Chacun fut se coucher (alla) – Ce vélo est à Paul (appartient).*

175.

Il reste que ces deux verbes sont surtout **«auxiliaires»** :

– **Avoir** sert d'auxiliaire :
● d'abord à **lui-même** et à **être** :

> *J'ai eu, tu auras eu, avoir eu – J'ai été, tu auras été, avoir été;*

● mais aussi à tous les verbes **transitifs actifs** :

> *J'ai aperçu ta mère – Il aura fini son travail demain;*

● mais aussi à la plupart des verbes **intransitifs actifs** :

> *J'ai couru – Tu avais ri – Il aura dormi – Ayant chanté;*

● mais aussi aux vrais verbes **impersonnels** (voir § 437 sq) :

> *Il a plu – Il avait neigé – Il aura tonné.*

– **Être** sert d'auxiliaire :
● à tous les temps de la voix **passive** (même aux temps «simples») :

> *Il est grondé – Tu as été pris(e) – Tu fus récompensé(e);*

- à tous les temps composés de la voix **pronominale** :

> *Je me suis lavé(e) – Tu t'étais trompé(e);*

- à tous les temps composés de certains verbes **intransitifs** :

> *Il est parti – Elle était rentrée – Être revenu(e)(s).*

176. **Les semi-auxiliaires** – Outre **avoir** et **être**, le français peut réduire certains verbes au rôle d'auxiliaire; ils forment alors bloc avec l'infinitif qui suit, et expriment diverses nuances :

- aller, devoir, être près de (sur le point de) (**futur prochain**) :

> *Je vais sortir – Il doit rentrer demain – Il est près de pleurer;*

- venir de (**passé récent**) :

> *Il vient de rentrer – Tu venais de sortir;*

- paraître, sembler, passer pour (**apparence**) :

> *Tu sembles souffrir – Elle passe pour être riche;*

- être en train de, ne pas laisser de, se mettre à, se prendre à (action qui **dure** ou qui **commence**) :

> *Elle ne laisse pas de se plaindre – Il se mit (prit) à rire;*

- devoir, pouvoir (**probabilité** ou **approximation**) :

> *Ils doivent être rentrés – Il peut être six heures;*

- faire (**ordre**) :

> *Je fis taire les enfants – Faites entrer l'accusé.*

177. **Les locutions verbales** – Le verbe peut encore se présenter sous l'aspect d'une locution verbale, groupe de mots inséparables, équivalent d'un verbe simple :

> *prendre congé = partir; se faire fort de = prétendre;*

La locution verbale est faite d'un verbe auquel se joint :
a) un **nom**, avec ou sans article, parfois avec préposition :
– avoir l'air, avoir honte (peur, tort, raison, besoin, faim, soif ...)
– prendre garde (part, parti, à partie, soin, congé, note ...)
– faire face (front, fête, échec, honneur ...)
– savoir gré, tenir tête, rendre gorge, rendre compte ... :

> *prendre congé = partir; prendre congé de ... = quitter ...*

b) un **adjectif qualificatif** :
– avoir chaud (froid), avoir beau, se faire fort, l'échapper belle ... :

> *Il se fait fort de (= il prétend) réussir.*

N.B. Le semi-auxiliaire **faire** + infinitif peut être pris comme une **locution verbale** :

> *faire taire (= calmer); faire venir (= convoquer) ...*

178. **La personne et le nombre** — Le verbe, enfin, varie en personne et en nombre, du moins dans les 4 modes personnels, où il se conjugue avec les pronoms personnels **atones** sujets :

> *je, tu, il, elle : 1re, 2e, 3e personnes du singulier;*
> *nous, vous, ils, elles : 1re, 2e, 3e personnes du pluriel.*

179. Remarques

a) L'**impératif** n'a que trois personnes, et pas de pronom sujet :

> *chante (2e sing.), chantons (1re pl.), chantez (2e pl.);*

b) Certains verbes ne se conjuguent qu'à une personne, la 3e du singulier; on les appelle **impersonnels** ou mieux **unipersonnels** (§ 437 sq) :

> *Il pleut; il vente; il neige.*

180. **Les tours** (ou **tournures**, ou **formes**) — Un verbe, une forme verbale, peut se présenter à des tours (tournures, formes) différents : **affirmatif, négatif, interrogatif, interro-négatif** :

> *Il rit — Il ne rit pas — Rira-t-il? — Ne rirez-vous pas?*

N.B. Ne pas confondre les deux expressions voisines suivantes :
● **forme du verbe** : c'est le tour, la tournure du verbe (cf ci-dessus);
● **forme verbale** : c'est l'aspect (temps simple, composé, surcomposé, locution verbale) sous lequel se présente le verbe dans sa proposition.

181. **Le tour négatif** — Il utilise l'adverbe de négation **ne** (§ 263), suivi d'un autre mot (pas, point, rien, jamais ...) :

> *Il ne voit rien — Elle ne sort jamais;*

● Aux temps **simples** la négation encadre le verbe :

> *Je **ne** dormis **pas** cette nuit-là — **Ne** mentez **jamais**;*

● Aux temps **composés** la négation n'encadre que l'auxiliaire :

> *Je **n'**ai **pas** dormi cette nuit-là — Elle **n'**avait **jamais** menti.*

N.B. Rien, personne, aucun, jamais, peuvent précéder **ne** :

> *Rien ne va — Personne ne vient — Jamais il ne sourit.*

182. **Les tours interrogatif et interro-négatif** — Ils n'existent qu'aux modes indicatif et conditionnel :

> *Viendrez-vous? — Ne viendrez-vous pas?*
> *Auriez-vous ri? — N'auriez-vous pas ri?*

183. Remarques

a) Dans l'interrogation, le sujet est **inversé** (cf Syntaxe § 296), mais bien souvent on emploie le **gallicisme** «est-ce que» qui supprime l'inversion :

> *(Ne) viens-tu (pas)? — Est-ce que tu (ne) viens (pas)?*

Dans le style **familier**, on se contente de la simple **intonation** :

> *Tu viens? – Vous n'aimez pas cet écrivain?*

b) Notons l'emploi du **t** dit **euphonique**, après un *-e* ou un *-a* :

> *Chante-t-elle? – Ne viendra-t-il pas?*

184. Outre ces 4 tours officiels, le verbe (ou plutôt la proposition) peut prendre une valeur **exclamative** :

> *Es-tu bête! – A-t-elle été méchante! – Quel temps il fait!*

185. Pour conclure ces généralités, faire l'**analyse** (l'**analyse grammaticale**) d'un verbe, d'une forme verbale, c'est indiquer successivement : son infinitif et son groupe; sa voix; son sens; son tour; son mode; son temps; sa personne et son nombre :

> *Il n'aurait jamais trahi un ami.*
> *«**aurait trahi**» : verbe trahir, 2ᵉ gr.; voix active; sens transitif; tour négatif; mode conditionnel; temps passé 1ʳᵉ forme; 3ᵉ personne du (masculin) singulier.*

N.B. Pour les **accords du verbe** (et particulièrement du **participe passé**) et pour les **particularités** orthographiques, voir Appendices § 431 sq, 441 sq, 446 sq.

B – MODES ET TEMPS

a) L'indicatif

186. Nous avons vu (§ 170) que l'indicatif est le mode du **réel**; nous avons dit (§ 171) qu'il est, et de loin, le plus riche des 7 modes. Il a officiellement 8 temps, 4 simples et 4 composés, qui vont deux par deux : présent et passé composé; imparfait et plus-que-parfait; passé simple et passé antérieur; futur simple et futur antérieur :

> *Je chante, j'ai chanté; tu chantais, tu avais chanté;*
> *il chanta, il eut chanté; elle chantera, elle aura chanté.*

Mais nous verrons qu'il a 10 temps (et même 14, et même 18; voir le tableau en Appendices § 430).

Cette richesse éclate d'autant plus que chacun de ses temps (et particulièrement le **présent** et l'**imparfait**) peut exprimer, selon le contexte, **diverses nuances**.

187. Le présent – Le présent exprime avant tout une action **actuelle,** en train de se produire au moment où l'on parle. Ce présent actuel indique, selon la valeur du verbe, une action **instantanée** ou **continue** :

> *La portière **claque** – La voiture **roule**.*

188. Le présent peut exprimer encore diverses nuances :
a) une **action habituelle** (présent d'habitude) :

> *Mon père **se lève** à six heures et **rentre** tard le soir;*

b) une **vérité générale** (voir proverbes et maximes) :

> *Qui **veut** voyager loin **ménage** sa monture;*

c) un **fait passé**, même lointain (présent **historique**, ou **de narration**) :

> *Jeanne d'Arc **naît** à Domrémy; elle **meurt** à Rouen;*

d) un **passé récent** ou, au contraire, un **futur prochain** :

> *Il **sort** à l'instant – Je **reviens** tout de suite;*

e) une **action future** (en subordonnée «conditionnelle») :

> *Si tu **reviens** (demain, plus tard), je serai content(e);*

f) une **action future**, présentée comme **certaine** et déjà acquise :

> *C'est sûr : nous **gagnons** ce match (ce soir, demain ...)*

189. L'imparfait – L'imparfait est le plus subtil des temps du passé. Il exprime avant tout une action **inachevée** (**imparfaite**), en cours au moment où une autre action passée se produit; c'est le **présent du passé :**

> *Deux coqs **vivaient** en paix : une poule survint (La Fontaine).*

190. Présent du passé, il exprime des nuances parallèles au présent :
a) une action **qui dure** (dans le passé) :

> *La lune **était** sereine et **jouait** sur les flots (Hugo);*

b) une action **habituelle** (imparfait d'habitude) :

> *Mon père **se levait** à six heures et **rentrait** tard le soir;*

c) une action située à un **moment précis** du passé (imparfait **historique**) :

> *En 1815, Napoléon, captif, **partait** pour Sainte-Hélène;*

d) un **passé récent** par rapport à une autre action passée :

> *Nous **arrivions** à peine, que l'orage éclata;*

e) un **futur prochain** par rapport à une autre action passée :

> *J'ai appris que tu **revenais** demain.*

191. Autres nuances possibles de l'imparfait :
a) un **futur antérieur de passé** (à la place d'un conditionnel passé) :

> *Sans toi, il **se noyait** – Sans cette chute, je **gagnais**;*

b) un fait **possible** ou **non réalisé** (en subordonnée «conditionnelle») :

> *Si j'**avais** (demain, aujourd'hui) un vélo, je serais heureux;*

c) une **supposition**, une **menace**, un **souhait** :

> Et si je te **dénonçais**! – Ah! si elle **réussissait**!

d) une **atténuation** (imparfait de **politesse**, de **tendresse**) :

> «Vous **désiriez**, Madame? – Je **voulais** un renseignement».
> «Comme il **était** mignon! Comme sa maman l'**aimait**!».

192. **Le passé simple** – Le passé simple exprime essentiellement un fait **achevé**, à un moment **précis** du passé, sans idée de durée (au contraire de l'imparfait) :

> Deux coqs vivaient en paix : une poule **survint** (La Fontaine);

C'est par excellence le **temps du récit** (dans la langue **écrite**); il présente les faits successivement :

> Elle **but, s'essuya** la bouche et **continua** son récit;

au contraire de l'imparfait, **temps de la description**, qui présente des faits multiples, simultanés, en tableau continu :

> Le soleil déclinait, tout était calme, la lune brillait.

N.B. Limité par un complément de **temps**, il peut cependant exprimer un fait qui **dure** :

> Il **marcha** trente jours, il **marcha** trente nuits (Hugo).

193. **Le passé composé** – Le passé composé exprime essentiellement une action passée, entièrement **accomplie**, sans date précise (ce qui la distingue du passé simple) :

> Il **a fait** ce qu'il a pu, et il **a réussi**;

Mais souvent, dans la langue **familière** et **parlée**, il remplace le passé simple, et exprime alors une action passée, accomplie, et à un moment **précis** :

> Hier soir nous **sommes allés** (= nous **allâmes**) au théâtre.

194. Le passé composé peut exprimer aussi d'autres nuances :
a) une **antériorité** par rapport à un présent :

> J'**ai fini**, je sors – Quand j'**ai fini**, je sors;

b) une **action achevée**, dont les effets durent encore :

> Il **a pris** sa retraite (il est donc en retraite);

c) une action souvent constatée (**vérité générale**) :

> La discorde **a** toujours **régné** sur la terre;

d) une action **future proche** (présentée comme déjà accomplie) :

> Attends-moi : j'**ai terminé** dans deux secondes;

e) une action **future antérieure** (en subordonnée «conditionnelle») :

> Si j'**ai fini** à temps, nous irons au cinéma ce soir.

N.B. N'oublions pas sa forme «composée», le **passé surcomposé**, du style **familier** :

> Quand il **a eu fini**, il est sorti – Elle **a eu** vite **fait** son repas.

195. **Le passé antérieur** – Comme son nom l'indique, il exprime surtout une **antériorité**, en subordonnée, par rapport à une autre action passée dont le verbe est au **passé simple** :

> Quand il **eut terminé** son travail, il sortit de l'atelier;

Mais on le rencontre en **indépendante** (ou principale), pour exprimer une action **vite achevée** :

> Et le drôle **eut lapé** le tout en un moment (La Fontaine).

196. **Le plus-que-parfait** – Il exprime une action passée, **antérieure** à un autre fait passé dont le verbe est à l'**imparfait**, au **passé simple**, ou au **passé composé** :

> Quand j'**avais fini** mon travail, j'écoutais de la musique.
> Elle **avait terminé** quand il arriva (ou est arrivé).

197. Le plus-que-parfait peut exprimer aussi d'autres **nuances** :
a) un fait qui n'**a pas eu lieu** (en subordonnée «conditionnelle») :

> Si j'**avais eu** une moto, j'aurais été heureux;

b) un **regret** (en proposition **exclamative**) :

> Si j'**avais su**! – Ah! si vous **aviez pu** l'aider!

N.B. N'oublions pas sa forme «**surcomposée**» (style **familier**) :

> A peine **avait-il eu fini**, qu'il s'en alla.

198. **Le futur simple** – Il exprime essentiellement une action **à venir**, proche ou lointaine :

> Je **partirai** ce soir – Ils **reviendront** l'an prochain.

199. Le futur simple peut exprimer aussi d'autres **nuances** :
a) un **ordre atténué** (moins sec que l'**impératif**) :

> Tu **feras** les commissions ce soir en rentrant de l'école;

b) une **intention**, une **promesse**, une **probabilité** :

> Il **reviendra** lundi – Je te **rembourserai** demain;

c) une **indignation** devant un fait présent qui menace de durer :

> Quoi! ces gens **se moqueront** de moi! (La Fontaine).

d) une **vérité générale** (avec toujours, souvent, jamais) :

> Homme libre, toujours tu **chériras** la mer (Baudelaire);

e) une action **passée**, même lointaine (fut. **historique**, de **narration**) :

> La campagne de Russie **sera** fatale à Napoléon, qui **abdiquera** à Fontainebleau et **se retirera** à l'île d'Elbe.

200. Le futur antérieur – C'est le **«passé du futur»** : il exprime avant tout une action future, en subordonnée, et antérieure à une action future dont le verbe est au **futur simple** :

> Quand tu **auras** assez **causé**, tu le diras (Courteline).

201. Le futur antérieur peut exprimer aussi d'autres **nuances** :
a) un fait **futur**, considéré comme **déjà accompli** :

> Attends un peu : j'**aurai terminé** dans dix minutes;

b) un fait **passé,** exprimant diverses nuances **affectives** :

> Il **aura** encore **perdu** ses lunettes ! – J'espère qu'ils n'**auront pas eu** d'accident – Ainsi j'**aurai travaillé** en vain !

N.B. N'oublions pas sa forme **«surcomposée»** (style **familier**) :

> Quand tu **auras eu parlé**, je pourrai peut-être dire un mot.

202. Tels sont les 8 temps «officiels» de l'indicatif; mais c'est oublier :
● **le futur du passé**, parallèle au futur simple, en **subordonnée** dépendant d'un verbe au **passé** :

> Je savais / qu'il **viendrait** demain
> (cf. Je sais / qu'il **viendra** demain).

● **le futur antérieur du passé**, parallèle au futur antérieur, en subordonnée dépendant d'un verbe au passé :

> Je savais / qu'il **aurait terminé** demain
> (cf. Je sais / qu'il **aura terminé** demain)

N.B. N'oublions pas sa forme **«surcomposée»** (style **familier**) :

> Je pensais / qu'il **aurait eu terminé** demain.

203. L'indicatif a donc plutôt 10 temps; il en a même 14 avec ses **4 temps surcomposés** (voir les N.B. des § 194, 197, 201, 202); il en a même 18 avec les 4 temps très fréquents formés avec l'aide des semi-auxiliaires **aller** et **venir** :
● **le futur prochain** :

> Je vais laver; je vais être lavé(e); je vais me laver;

● **le futur prochain du passé** :

> J'allais laver; j'allais être lavé(e); j'allais me laver;

- **le passé récent** :

> *Je viens de laver; je viens d'être lavé(e); je viens de me laver;*

- **le passé récent du passé** :

> *Je venais de laver; ... d'être lavé(e); ... de me laver.*

b) Le conditionnel

204. Nous avons vu (§ 170) que le conditionnel est le mode de l'**éventuel**. Ce mode n'existait pas en latin; quand le français l'a créé, il s'est contenté de puiser dans l'indicatif et dans le subjonctif. En effet :

a) le conditionnel **présent** n'est que le **futur du passé** (§ 202) :

> *J'aurais, je serais, j'aimerais, je finirais, je dirais;*

b) le cond. **passé 1re forme** n'est que le **futur antérieur du passé** (§ 202) :

> *J'aurais eu, j'aurais été, j'aurais aimé, ... fini, ... dit.*

c) le conditionnel **passé 2e forme** n'est autre que le **subjonctif plus-que-parfait,** sans **que** (§ 214 sq) :

> *J'eusse eu, j'eusse été, j'eusse aimé, ... fini, ... dit ...*

205. Voici un **tableau** de ses 3 temps (laver 1er gr., 1re pers. du sing.)

	Actif	*Passif*	*Pronominal*
Présent	*je laverais*	*je serais lavé(e)*	*je me laverais*
Passé 1re f.	*j'aurais lavé*	*j'aurais été lavé(e)*	*je me serais lavé(e)*
Passé 2e f.	*j'eusse lavé*	*j'eusse été lavé(e)*	*je me fusse lavé(e)*

N.B. Le passé 1re forme a une forme **«surcomposée»** (style **familier**) :

> *Elle **aurait eu dilapidé** bien vite cette immense fortune.*

206. Ses valeurs et emplois – On le rencontre surtout en proposition **principale**, où il exprime une idée soumise à une condition, avec 3 nuances : **potentiel, irréel du présent, irréel du passé** (voir § 402 sq) :

> *Si j'avais un bateau (plus tard), je **ferais** des régates;*
> *Si j'avais un bateau (maintenant), je **ferais** des régates;*
> *Si j'avais eu un bateau (hier), j'**aurais fait** (j'**eusse**) **fait** des régates.*

N.B. Le passé 2e forme, plus **littéraire**, plus recherché, est plus rare que le passé 1re forme :

> *L'âne, s'il **eût osé, se fût mis** en colère (= s'il avait osé, il se serait mis ...).*

207. On le trouve aussi en **indépendante**; il peut exprimer alors :
a) le **désir**, le **souhait**, le **conseil** (verbe au présent) :

> *J'irais* bien à Tahiti! – Tu *devrais* te reposer;

b) le **regret** (au passé, 1re ou 2e forme) :

> *J'aurais aimé* (j'eusse aimé) visiter Tahiti!

c) une **atténuation** de l'indicatif (senti comme trop brutal) :

> Je *voudrais* un kilo d'oranges;

d) une **affirmation prudente** (car non contrôlée) :

> Un train a déraillé; on *compterait* de nombreuses victimes;

e) une **supposition**, un fait imaginé (cf les jeux d'enfants) :

> Nous *serions* les gendarmes, vous *feriez* les voleurs;

f) l'**indignation** (en exclamation ou interrogation) :

> *J'ouvrirais* pour si peu le bec! (La Fontaine).

c) L'impératif

208. C'est le plus pauvre des 4 modes personnels :
– Il n'a que **2 temps** : un temps simple, le présent; un temps composé : le passé. Et le passé est rare, et limité à la voix active :

> Finis, aie fini à temps – Rentre, sois rentré(e) à l'heure;

– Chacun de ses temps n'a que **3 personnes** (2e sing., 1re et 2e pl.) :

> Finis, finissons, finissez – Aie fini, ayons fini, ayez fini.

209. En voici un tableau (laver 1er groupe) :

	Actif	*Passif*	*Pronominal*
Présent	lave lavons lavez	sois lavé(e) soyons lavé(e)s soyez lavé(e)s	lave-toi lavons-nous lavez-vous
Passé	aie lavé ayons lavé ayez lavé	*(inusité)*	*(inusité)*

210. Remarques
a) L'impératif n'a jamais de **pronom sujet** exprimé (cf § 179, a);
b) Pour les **curiosités** orthographiques, voir Appendices § 433 e;
c) Le **pluriel de politesse** est fréquent à l'impératif :

> *Entrez*, monsieur – *Asseyez-vous*, madame;

d) la 1re p. du pl. peut signifier une 2e p. du sing. ou du pl. :

> ***Pressons-nous***, jeune homme – ***Hâtons-nous***, mesdemoiselles;

et même une 1re p. du sing. (celui qui parle s'exhortant soi-même) :

> *Du cran!* ***montrons-nous*** *ferme, et* ***gardons*** *notre calme.*

211. L'impératif exprime l'**ordre** (tour affirmatif) et la **défense** (tour négatif) :

> ***Mange*** *proprement –* ***Ne mens*** *jamais à tes amis;*

● L'impératif présent peut exprimer un **futur** (proche ou lointain) :

> ***Revenez*** *ce soir –* ***Revenez*** *le mois prochain;*

● L'impératif passé (rare) ne se rencontre que dans les verbes exprimant l'**achèvement** d'une action (à exécuter dans le futur) :

> ***Aie fini*** *(terminé, achevé ...);* ***sois parti*** *(rentré, revenu) quand ton père rentrera.*

212. L'impératif pouvant être senti comme trop **brutal**, on donne des ordres déguisés (atténués) au moyen de :
● l'**indicatif présent**, ou **futur** :

> *Tu* ***prends*** *en face, tu* ***fais*** *cent mètres, tu* ***tournes*** *à gauche;*
> *Tu* ***passeras*** *chez le boucher, et tu* ***commanderas*** *un gigot;*

● l'**indicatif imparfait**, le **conditionnel présent** (tour interrogatif) :

> *Si tu* ***faisais*** *tes devoirs? –* ***Voudriez-vous*** *approcher?*

● l'**infinitif présent** :

> ***Prendre*** *un cachet par jour –* ***Ne pas dépasser*** *la dose.*

213. L'impératif lui-même peut se faire moins brutal, et exprimer :
● une **invitation polie**, un **conseil**, une **prière**, un **souhait** :

> *Entrez, messieurs – Soigne ce rhume – Aidez-moi – Guéris vite.*

● une **supposition** :

> *Dites blanc, elle dit noir – Fais un pas, je t'abats.*

● une simple **interjection** (où il perd toute valeur verbale) :

> *Allons! – Allez! – Tiens! – Voyons! ...*

d) Le subjonctif

214. Des 4 modes personnels, c'est le plus délicat d'emploi. C'est le mode, essentiellement, de la **subordination**, du **doute**, de l'**indécision**, du **fait pensé** :

> *Je souhaite / que tu* ***reviennes*** *vite;*

Il a 4 temps qui vont deux par deux : présent et passé, imparfait et plus-que-parfait :

> Je veux / qu'il **termine** (qu'il **ait terminé**) à temps ;
> Je voulais / qu'il **terminât** (qu'il **eût terminé**) à temps ;

Ils devraient respecter la fameuse règle de la **concordance** des temps, mais ils la malmènent bien souvent (voir Syntaxe § 411 sq).

215. En voici un tableau (laver, 1er groupe) :

	Actif	*Passif*	*Pronominal*
Présent	*que je lave*	*q. je sois lavé(e)*	*q. je me lave*
Imparfait	*que je lavasse*	*q. je fusse lavé(e)*	*q. je me lavasse*
Passé	*que j'aie lavé*	*q. j'aie été lavé(e)*	*q. je me sois lavé(e)*
Pl.-que-pft	*que j'eusse lavé*	*q. j'eusse été lavé(e)*	*q. je me fusse lavé(e)*

N.B. Le passé a une forme **« surcomposée »** (style **familier**) :

> *Ne viens pas / avant que j'**aie eu fini** ce travail.*

216. Remarques

a) Le **présent** exprime aussi bien le **futur** que le présent :

> *Je veux / que tu **reviennes** l'année prochaine ;*

b) Le **passé** exprime l'antériorité par rapport au **présent**, le **plus-que-parfait** l'antériorité par rapport à l'**imparfait** :

> *Je veux / que tu **sois arrivé(e)** (cf que tu arrives) ;*
> *Je voulais / que tu **fusses arrivé(e)** (cf que tu arrivasses) ;*

c) Le **plus-que-parfait**, nous l'avons vu (§ 204) a servi à former le conditionnel passé 2e forme (sans « que ») ; comparons :

> *Il voulait / que j'**eusse fini** à temps (subj. plus-que-parfait) ;*
> *J'**eusse fini** à l'heure sans ce contretemps (cond. passé 2e f.).*

217. On le rencontre surtout en proposition **subordonnée** (complétive, relative, circonstancielle ; voir Syntaxe) :

> *Je veux / qu'on **soit** sincère ;*
> *Elle est la plus belle fille / que j'**aie** jamais **vue** ;*
> *Il n'était pas généreux / bien qu'il **fût** riche.*

218. On le rencontre aussi en **indépendante** (ou **principale**), pour exprimer :

78

- **l'ordre** ou la **défense** (cf l'impératif):

> *Que chacun **se retire** et qu'on me **laisse** seul;*

- le **souhait**, le **désir**, l'**exhortation**, la **prière**:

> *Que Votre Majesté **ne se mette pas** en colère! (La Fontaine);*

- la **supposition** (cf l'impératif):

> *Qu'on **dise** blanc, elle dira noir;*

- l'**indignation** (cf le conditionnel):

> *Moi, que je **trahisse** un ami! Jamais.*

219. Il arrive parfois que le subjonctif ne soit pas introduit par «que»:

> *Puissé-je réussir* (souhait) – *Soit un triangle isocèle* (supposition)
> *Sauve qui peut* – *Vaille que vaille* (expressions figées).

e) L'infinitif

220. C'est la forme la plus dépouillée de l'expression verbale; c'est la **forme nominale** du verbe (on l'appelle aussi **«nom verbal»**); avec le participe et le gérondif, il est l'un des 3 modes dits **impersonnels**:

> *avoir, être, calmer, rougir, courir, boire, voir ...*

Il a 2 temps: le présent (temps simple), le passé (temps composé). En voici un tableau (laver, 1er groupe):

	Actif	*Passif*	*Pronominal*
Présent	laver	être lavé(e)(s)	se laver
Passé	avoir lavé	avoir été lavé(e)(s)	s'être lavé(e)(s)

N.B. L'infinitif passé a une forme **«surcomposée»** (style **familier**):

> *Il est parti après **avoir eu terminé** son repas.*

221. – L'**infinitif présent** a divers emplois:
a) Il exprime la **simultanéité** par rapport au verbe dont il dépend, c'est-à-dire le passé, le présent ou l'avenir:

> *Il pouvait (il peut, il pourra) **parler** anglais;*

b) Mais il a souvent valeur de **futur**:

> *Elle espère **revenir** l'an prochain;*

c) Il fait corps avec le **semi-auxiliaire** qui le précède (§ 176):

> *Je **viens de rentrer** – Nous **allions partir**.*

d) L'infinitif présent **pronominal** prend parfois curieusement l'aspect de **voix active** :

> Je l'ai envoyé **promener** – Fais-les donc **taire**;

e) L'**infinitif passé** exprime essentiellement l'**antériorité** par rapport au verbe dont il dépend :

> Il sort (sortit, sortira) après **avoir fini** son travail.

222. Remarques

a) Attention! Il ne faut pas confondre :

> être blessé, être puni, être vu ... (présents passifs), et
> être allé, être venu, être sorti ... (passés actifs);

b) Mode «impersonnel», l'infinitif varie cependant en personne à la voix **pronominale** :

> Nous sortons **nous** promener (et non *se promener);

c) Il varie même en **genre** et en **nombre** aux présent et passé passifs, au passé pronominal, et au passé actif (avec auxiliaire être) :

> être blessé(e)(s); avoir été puni(e)(s); s'être tenu(e)(s);
> être allé(e)(s) et être revenu(e)(s).

223. L'**infinitif-nom** – L'infinitif est souvent réduit au rôle de nom, c'est le **«nom verbal»**, avec toutes les fonctions du nom (cf Syntaxe) :

> **Mentir** (= le mensonge : sujet) est honteux – J'aime **lire** (= la lecture : c.o.d.) – La peur de **mourir** (de la mort : c. de nom);

Il joue si bien un rôle de nom qu'il peut même le devenir :

> le boire, le manger, le savoir, le pouvoir ...

et prendre la marque du **pluriel** (ce mot dit «invariable»!) :

> les vivres, les devoirs, les pouvoirs, les rires ...

224. L'**infinitif-verbe** – L'infinitif peut conserver toute sa valeur de verbe, et être le noyau d'une **proposition** :

● En **indépendante** (ou principale), où il exprime :
– l'**ordre** ou la **défense** (cf l'impératif) :

> **Ralentir**, travaux – **Ne pas dépasser** la dose prescrite;

– l'**interrogation** (à valeur d'hésitation, de **délibération**) :

> Que **faire**? Que **dire**? A qui **se fier**?

– l'**exclamation** ou l'**interrogation** (indignation, souhait ...) :

> Moi, **trahir** un ami! – **Voir** Naples et **mourir**!

– l'**affirmation** (avec un **de** explétif) : c'est l'infinitif de **narration** :

> *Et chacun **de se plaindre** – Et nous **de rire**.*

● En **subordonnée** (complétive ou relative) (voir Syntaxe) :

> *J'entends / les cloches **sonner** – Il ne sut / que **répondre** – Je cherche un petit village / où **passer** mes vacances.*

f) Le participe

225. Comme l'infinitif, le participe est un mode dit **impersonnel**; comme lui, il n'a que 2 temps : le présent et le passé :
En voici un tableau (laver 1er groupe) :

	Actif	*Passif*	*Pronominal*
Présent	*lavant*	*étant lavé(e)(s)*	*se lavant*
Passé	*ayant lavé*	*ayant été lavé(e)(s)*	*s'étant lavé(e)(s)*

N.B. Le participe passé a une forme «**surcomposée**» (style **familier**) :

> *ayant eu grondé...; ayant eu été grondé(e)(s) ...*

226. Remarques

a) Attention! il ne faut pas confondre :

> *étant blessé, étant puni, étant vu ... (présents passifs);*
> *étant allé, étant venu, étant parti ... (passés actifs);*

b) Le participe passif (présent ou passé), pronominal passé, et passé actif (avec auxil. être), peut perdre son auxiliaire :

> ***Gâté** par les siens (= étant gâté, ou ayant été gâté);*
> ***accoudé** (= s'étant accoudé); **évanouie** (= s'étant évanouie);*
> ***allé, venu, parti** (= étant allé, étant venu, étant parti);*

c) Mode «impersonnel», le participe varie cependant (comme l'infinitif) en **personne** à la voix **pronominale** :

> *me (te, se, nous, vous, se) calmant;*

d) Il varie même en **genre** et en **nombre** au passif (présent et passé), au pronominal passé, et au passé actif (avec auxiliaire être) :

> *étant lavé(e)(s); ayant été puni(e)(s); nous étant trompé(e)(s) de chemin; étant allé(e)(s) et revenu(e)(s).*

227. Le **participe présent** – Il exprime essentiellement la **simultanéité** par rapport au verbe dont il dépend (présent, passé, futur) :

> *On la voit (voyait, verra) **gémissant** sans cesse;*

– Mais avec le **semi-auxiliaire aller**, il exprime plutôt une **durée**, une **continuité**, une **progression** :

> *La fillette allait **rêvant** – Son mal ira **empirant**;*

– Mais le participe présent du **semi-auxiliaire devoir** exprime, selon le contexte, un futur prochain, une intention, une obligation :

> ***Devant** prendre l'avion ce soir, il prépare sa valise (= «sur le point de», ou «décidé à», ou «obligé de» ...).*

228. Le **participe passé** – Il exprime essentiellement l'antériorité :

> ***Ayant terminé** son travail, il alla prendre l'air –*
> ***Grondée** (ayant été grondée) par sa mère, elle sanglotait;*

Mais il peut exprimer le résultat d'une action passée :

> ***Accoudée** au balcon (= s'étant accoudée), la fillette rêvait.*

229. Valeurs et emplois – Comme son nom l'indique, il «participe» :
- de l'état de **verbe** (et c'est le participe-verbe);
- de l'état d'**adjectif** (et c'est le participe-adjectif) :

> *Une meute **hurlante** (adjectif);*
> *Une meute **hurlant** de fureur (verbe).*

230. Le **participe-adjectif** – Réduit au rôle d'adjectif qualificatif, le participe varie en genre et en nombre. C'est la forme adjective du verbe, qu'on appelle parfois **adjectif verbal** :

> *hurlant(s), hurlante(s); enragé(s), enragée(s);*

Il a alors les 4 fonctions possibles de l'adjectif qualificatif (épithète, attribut du sujet, attribut de l'objet, apposé) (cf Syntaxe) ainsi que tous ses degrés possibles de signification (positif, comparatif, superlatif; cf § 115 sq.) :

> *Sa fille est charmante (plus charmante, très charmante);*
> *Son style est recherché (plus recherché, très recherché).*

231. Remarques

a) Le participe **présent-adjectif**, de forme **active**, peut exprimer :
- une nuance **passive** :

> *une entrée payante; une couleur voyante;*

- une nuance **pronominale** :

> *un garçon méfiant; un soleil couchant;*

- une nuance **impersonnelle** :

> *une rue passante; une route glissante ...*

b) Le participe **passé-adjectif**, de forme **passive**, peut exprimer :
- une nuance **active** :

    un homme avisé; une fillette réfléchie;

- une nuance **pronominale** :

    une femme appliquée, obstinée, passionnée;

- une nuance **impersonnelle** :

    une place assise (= où l'on peut s'asseoir) ...

c) Il arrive qu'un participe s'emploie comme nom, ou mot invariable.

   un étudiant, des commerçants; une dictée, des allées;
   durant, pendant, vu, excepté, suivant, maintenant ...

232. Le **participe-verbe** – Le participe peut conserver tout sa valeur de verbe; on le trouve alors :
- comme verbe de la subordonnée **participiale** (voir Syntaxe § 407 sq.) :

    *Le tyran (**ayant été**) **abattu**, le peuple cria sa joie.*

- en fonction d'**épithète** (avec valeur de relative) :

    *J'ai vu un enfant **hurlant** (qui hurlait) de frayeur.*

- en fonction d'**apposition** (avec valeur de **circonstancielle**) :

    ***Ayant triché**, il fut sévèrement puni (valeur de cause) ...*

233. Remarques
a) Le participe présent-verbe est aujourd'hui invariable :

   une meute hurlant de fureur; des filles hurlant de terreur;

Il n'en a pas toujours été ainsi, et il nous en reste des traces (dans la langue **judiciaire** et dans des expressions **figées**) :

   les ayants droit, les ayants cause; toutes affaires cessantes; la
   partie plaignante; séance tenante; à la nuit tombante ...

b) Le participe présent peut avoir **2 orthographes** selon qu'il est verbe ou adjectif :

   suffoquant, suffocant; fatiguant, fatigant; provoquant, provo-
   cant; naviguant, navigant; vaquant, vacant ...

c) Pour les accords capricieux du **participe passé**, voir Appendices § 446 sq.

g) Le gérondif

234. Le gérondif n'est pas, comme on le croit souvent, le **participe présent** précédé de la **préposition en**; ce sont, étymologiquement, deux formes différentes, que le français a fini par confondre. Comme l'infinitif et le participe, c'est un mode dit «impersonnel»; plus pauvre qu'eux, il n'a qu'un temps, le **présent**. Rare au passif, il est très fréquent aux voix active et pronominale :

> *Il siffle **en travaillant** – Elle rêve **en se promenant**.*

235. Remarques

a) Comme l'infinitif et le participe, ce mode dit «impersonnel» varie, du moins en **personne**, à la voix **pronominale** :

> ***en me*** *(en te, en se, en nous, en vous, en se)* ***lavant***.

b) Autrefois, il pouvait se rencontrer sans **«en»**; il nous en reste des traces, dans des locutions plus ou moins **figées** :

> *chemin faisant (= en faisant chemin); tambour battant;*
> *argent comptant; ce faisant; juridiquement parlant ...*

(Ne pas confondre ces gérondifs avec de simples participes présents.)

236. Valeurs et emplois

– Si le participe est la forme adjective du verbe, le gérondif en est la forme **adverbiale** : il a toujours une valeur circonstancielle, et, en «analyse logique», il équivaut à une subordonnée de **temps**, de **cause**, de **condition**, d'**opposition** (voir Syntaxe) :

> *Il fredonne **en travaillant** (= pendant qu'il travaille : temps);*
> *J'ai trébuché **en courant trop vite** (= parce que ... : cause)*
> *Tu réussirais **en t'appliquant** (= si tu t'appliquais : condition);*
> *Il réussit bien **en travaillant peu** (= bien qu'il travaille peu :*
> *opposition)*

N.B. En plus de ces 4 valeurs, il peut, par **atténuation**, prendre une simple valeur de **manière** ou de **moyen** :

> *Dormir **en ronflant** (manière) – S'instruire **en lisant** (moyen).*

237. Attention!

Le **sujet** (non exprimé) du gérondif doit être le même que celui du verbe dont il dépend :

> *En rentrant de l'école, maman me questionne;*

c'est maman (professeur ou institutrice) qui rentre de l'école : si c'est moi (élève) qui rentre de l'école, il faut dire :

> *En rentrant de l'école, je subis les questions de maman;*

Évitons donc la grave incorrection fréquente en fin de lettre :

> **En espérant une prompte réponse, veuillez agréer...*

et écrivons correctement :

> *En espérant une prompte réponse, **je** vous prie d'agréer...*

(qui est-ce qui espère? – **Je**, et non **vous**.)

Les mots invariables

238. Après les 5 espèces de mots **variables** que nous venons d'exposer (nom, article, adjectif, pronom et verbe), voici les 4 espèces de mots invariables : l'**adverbe**, la **préposition**, la **conjonction** et l'**interjection**.

1 – L'ADVERBE

239. L'adverbe est un mot invariable qui, placé auprès d'un autre mot, «modifie» le sens de ce mot. Ce mot peut être un **verbe**, un **adjectif**, ou un autre **adverbe** :

> Il lit **beaucoup** – Elle est **bien** gentille – Tu lis **trop** peu;

On distingue 2 grandes familles d'adverbes :
- les 4 adverbes dits de **circonstance**; ce sont les adverbes :
de **manière**, de **quantité**, de **lieu**, de **temps**;

- les 4 adverbes dits **d'opinion**; ce sont les adverbes :
d'**affirmation**, de **négation**, de **doute**, d'**interrogation**.

A – LES ADVERBES DE CIRCONSTANCE

a) L'adverbe de manière

240. Son aspect, ses formes – Il peut se présenter sous l'aspect :
- d'un adverbe **simple** : bien, mieux, mal, pis, ainsi, même, exprès, debout, ensemble, plutôt, vite, volontiers ...

> Il travaille **bien** – Elle obéit **volontiers** – Agissons **vite**;

● d'une **locution adverbiale** : à tort, à contrecœur, au hasard, à tâtons, à tue-tête, en vain, à l'envi, bon gré mal gré ... :

> *Il obéit **à contrecœur** – Ne répondez pas **au hasard**;*

● d'un **adjectif qualificatif** employé comme adverbe (donc invariable) : bas, haut, bon, cher, clair, doux, droit, fort, faux, net ... :

> *Parlons **bas** – Elle chante **faux** – Ils marcheront **droit**;*

● d'un **dérivé d'adjectif féminin** (adjectif féminin + suffixe **-ment**). En réalité, «-ment» est un **nom féminin** (latin «mens» : esprit, mentalité), et c'est pourquoi l'adjectif se met au **féminin** :

> *gloutonne-ment = avec une «ment-alité» gloutonne.*

241. Remarques

a) De nombreux mots **latins** et **italiens** s'emploient en français comme adverbes de manière :

> *Travailler **gratis**; finir **ex aequo**; voyager **incognito** ...*
> *Le rythme de la course allait **crescendo**.*

b) Les adjectifs féminins en **-aie, -ée, -ie, -ue** perdent leur -e final devant le suffixe **-ment** :

> *vraiment, aisément, poliment, éperdument ...*

mais on écrit :

> *gaiement, assidûment, goulûment, crûment, dûment ...*

c) Autres **curiosités** : on écrit :

> *aveuglé-ment, immensé-ment, profondé-ment, genti-ment, impunément*

d) Les adjectifs en -**ent(e)**, -**ant(e)**, donnent **-emment**, **-amment** :

> *prudemment, excellemment; constamment, vaillamment ...*

cependant on a :

> *lente-ment, présente-ment, véhémente-ment.*

242. Ses valeurs et emplois

– L'adverbe de manière est l'équivalent parfait du nom (ou groupe du nom) complément circonstanciel de manière (voir Syntaxe § 313). Il porte essentiellement sur le **verbe** :

> *Tu as agi **stupidement** = d'une façon (d'une manière) stupide.*

243. Remarques

a) L'équivalence de sens est parfois imparfaite; il y a une **différence** entre :

> *Cet homme courageux travaille **constamment**;* et
> *Cet homme courageux travaille **avec constance**;*

b) Autres **différences** :

> chanter **faux** et accuser **faussement**; parler **bas** et agir **basse-
> ment** (cf **grièvement** blessé et **gravement** malade);

c) **Attention!** Certains adverbes de manière peuvent s'employer comme :
● adverbes de quantité :

> Il est **bien** méchant – Elle est **fort** jolie;

● adjectifs qualificatifs :

> C'est une fille **bien** – Son frère est **mieux** qu'elle –
> Ce mutilé supporte mal la station **debout**;

● noms communs :

> Je sens un léger **mieux** – Le **pis** est qu'il ment souvent.

244. Comme l'adjectif qualificatif (§ 115), l'adverbe de manière peut avoir
des **degrés de signification,** positif, comparatif, superlatif :

> gentiment : plus (aussi, moins) gentiment (comparatifs);
> le plus (le moins, très, très peu) gentiment (superlatifs);

N.B. **Mieux, le mieux, pis, le pis** sont les comparatifs et superlatifs irréguliers de **bien** et **mal** :

> Tu travailles **mieux** (que lui) – Elle va de mal en **pis**.

245. L'adverbe de manière peut avoir un **complément** (Syntaxe § 326) :

> Il a agi conformément (contrairement) **à la loi**.

b) L'adverbe de quantité

246. Son aspect, ses formes – Il peut se présenter sous l'aspect :
● d'un adverbe **simple** : peu, beaucoup, bien, très, trop, assez, plus, moins,
guère, presque, aussi, tant, tellement, combien, comme, que :

> Tu en dis **trop**, ou pas **assez** – **Que** vous êtes joli(e)!

● d'une **locution adverbiale** : à demi, à peine, à moitié, à gogo, peu à peu,
peu ou prou, à peu près, pas du tout, tout à fait ... :

> Elle reprend **peu à peu** des forces.

247. Ses valeurs et emplois – L'adverbe de quantité est l'équivalent
parfait du nom (ou groupe du nom) complément circonstanciel de quantité
(voir Syntaxe § 318) :

> **trop** = en quantité excessive; **assez** = en quantité suffisante;

– Il modifie un verbe, un adjectif ou un autre adverbe :

> Il travaille **assez** – Il est **assez** gentil – Il chante **assez** bien;

– Il sert à fabriquer les **comparatifs** et **superlatifs** d'adjectifs (§ 115) et d'adverbes (§ 244) :

> *plus (aussi, moins, très, le plus, le moins) sage(-ment).*

248. L'adverbe de quantité a souvent un **complément** (Syntaxe § 326) :

> *beaucoup **de vent**; plus **de pluie**; trop **d'élèves**;*

et ce groupe de l'adverbe de quantité est l'équivalent parfait d'un **groupe du nom** (dont il peut avoir toutes les fonctions) :

> **Beaucoup d'élèves** *(= de nombreux élèves : sujet) sont souvent trop paresseux; Ce vieux professeur a instruit **beaucoup d'élèves** (= de nombreux élèves : c.o.d.).*

249. Remarques

a) **Tant, tellement, si, combien, comme, que,** peuvent prendre une valeur **exclamative** :

> *Elle a tant (tellement) de chagrin! – Il est si gentil! – Comme (combien, que) je suis inquiet!*

Combien et **que** peuvent prendre une valeur **interrogative** :

> *Combien de livres as-tu? – Que t'a coûté ce canif?*

b) **Attention! Si** et **très** ne peuvent modifier qu'un adjectif ou un adverbe; on ne peut donc pas dire, avec un nom :

> ** très faim, * très plaisir, * si peur, * si soif ...; mais grand-faim, grand-soif, grand plaisir, tellement peur ...*

c) **Attention!** Il faut éviter de confondre :

● **bien**, adverbe de **manière** et adverbe de **quantité** :

> *Elle travaille **bien** – Elle est **bien** sage;*

● **aussi**, adverbe de **manière**, de **quantité**, et conjonction de **coordination** :

> *Il viendra **aussi** – Il est **aussi** sage – Il pleut, **aussi** je reste;*

● **fort**, adverbe de **manière**, de **quantité**, ou **adjectif qualificatif** :

> *Il frappe **fort** – Tu es **fort** sot – Vous êtes **fort(s)**;*

● les divers **comme** (voir Appendices § 465);
● les divers **tout** (voir Appendices § 469).

c) L'adverbe de lieu

250. Son aspect, ses formes – Il peut se présenter sous l'aspect :
● d'un adverbe **simple** : ici, là, partout, ailleurs, dehors, dedans, devant, derrière, dessus, dessous, loin, près, en, y, où ... :

> *Ne restons pas **derrière**, passons **devant**;*

• d'une **locution adverbiale** : d'ici, par ici, çà et là, de-ci, de-là, deçà, delà, au-dessus, au-dessous, au-dehors, quelque part ...

> *Que regardes-tu **là-haut**? – Vous plaisez-vous **là-bas**?*

251. Ses valeurs et emplois – L'adverbe de lieu est l'équivalent parfait du nom (ou groupe du nom) complément circonstanciel de **lieu** (§ 310) :

> *Partir **ailleurs** (= dans un autre endroit);*

– Il en a les 4 **nuances** (où l'on est, où l'on va, d'où l'on vient, par où l'on passe) :

> *Je suis **ici** – Viens **ici** – Sors **d'ici** – Passez **par ici**;*

– Certains adverbes de lieu ont des **degrés** de signification :

> *loin, plus (aussi, moins) loin; très (le plus, le moins) loin.*

252. Remarques

a) Nous avons vu que **en** et **y** peuvent , par glissement, devenir **pronoms personnels** (§ 129, e), et **où** pronom **relatif** (§ 156, a);

b) **Voici** et **voilà** contiennent l'**impératif** de voir + les adverbes **ci** et **là** :

> ***Voici** ma maison et **voilà** la sienne;*

c) **Ci**, forme réduite de **ici**, ne se rencontre qu'en combinaison :

> *Ci-joint, ci-gît, ci-après; ce garçon-ci, celui-ci ...*

On le rencontre isolé dans les **factures** du style commercial :

> ***Ci** trois mille deux cent vingt-cinq francs;*

d) Distinguer les divers **où** (§ 463) et les divers **en** (§ 467).

d) L'adverbe de temps

253. Son aspect, ses formes – Il peut se présenter sous l'aspect :

• d'un adverbe **simple** : alors, maintenant, hier, demain, bientôt, tôt, tard, jamais, toujours, désormais, jadis, naguère, souvent ... :

> *Parti **hier**, il reviendra **bientôt**;*

• d'une **locution adverbiale** : aujourd'hui, d'abord, tout à coup, à présent, de nouveau, avant-hier, après-demain, sur-le-champ, dès lors...

> *Arrivée **aujourd'hui**, elle repart **sur-le-champ**.*

254. Ses valeurs et emplois – L'adverbe de temps est l'équivalent parfait du nom (ou groupe du nom) complément circonstanciel de temps (§ 311) :

> ***alors** (= à cette époque); **bientôt** (= dans un proche avenir);*

– Comme lui, il peut exprimer diverses **nuances** : date, durée, répétition :

> Il sera là **demain** – Elle fut **longtemps** malade –
> Je souffre **de temps en temps**;

– Certains adverbes de temps ont des **degrés** de signification :

> tôt, plus (aussi, moins), tôt, très (le plus, le moins) tôt.

255. Remarques

a) **Un jour, tantôt, tout à l'heure** marquent le **passé** ou l'**avenir** :

> Il partit **un jour**. Elle guérira **un jour** –
> Je l'ai vu(e) **tantôt**. Elle viendra **tout à l'heure**.

b) Il faut bien **distinguer** :

> **Jadis** (= il y a longtemps) et **naguère** (= il n'y a guère);
> **Tout à coup** (= soudain) et **tout d'un coup** (= en une seule fois);
> **Aussitôt** et **aussi tôt** – **Sitôt** et **si tôt** – **Bientôt** et **bien tôt**.

B – LES ADVERBES D'OPINION

256. Si l'adverbe de circonstance «modifie» un **mot**, l'adverbe d'opinion «modifie» plutôt une **proposition**; et si l'adverbe de circonstance équivaut à un complément circonstanciel, l'adverbe d'opinion équivaut, lui, à toute une **proposition** (dans le dialogue) :

> Aimes-tu lire? – **Oui (Non)** (= J'aime, je n'aime pas lire).

a) L'adverbe d'affirmation

257. Les adverbes ou locutions adverbiales d'**affirmation** sont :
oui, si, bien, certes, certainement, assurément, évidemment, en vérité, bien sûr, pour sûr, parfaitement, effectivement ... :

> As-tu reçu ma lettre? – **Oui**.

258. Remarques

a) **Si** remplace **oui** dans une réponse à une question négative :

> N'as-tu pas reçu ma lettre? – **Si**;

b) **Oui** et **si** sont souvent **renforcés** :

• soit par la **répétition** :

> Oui, oui, j'arrive – Si, si, je viens;

- soit par l'**adjonction** d'un autre mot :

> *mais oui; oh! si; que oui; oui-da (vieilli); si fait ...*

- soit par leur **remplacement** :

> *certes, parfaitement, bien sûr, assurément...*

b) L'adverbe de doute

259. Les adverbes et locutions adverbiales de doute sont :
peut-être, sans doute, probablement, apparemment, soit :

> **Peut-être** *se sont-ils égarés en chemin.*

260. Remarques

a) **Sans doute** avait autrefois le même sens que **sans aucun doute;** aujourd'hui atténué, il exprime le doute (et non l'affirmation) :

> *sans aucun doute (= certainement);*
> *sans doute (= peut-être).*

b) **Sans doute, probablement, peut-être, apparemment** peuvent être suivis d'un **«que» explétif** :

> *Sans doute **qu'**elle viendra – Peut-être **qu'**il fera beau.*

c) L'adverbe de négation

261. Les adverbes et locutions adverbiales de **négation** sont :
non, ne, ne ... pas, ne ... point, ne ... jamais, ne ... plus, ne ... personne, ne ... rien, ne ... aucun, personne ne, rien ne ... (cf § 182) :

> **Rien ne** *me verra plus, je **ne** verrai plus **rien** (Hugo).*

262. Non est la forme **tonique** de la négation; c'est à la fois le contraire de **oui** et de **si;** on peut aussi le **renforcer** (par répétition, adjonction d'un autre mot, remplacement) :

> *Non, non – Mais non, que non;*
> *Point – Nullement – Pas du tout;*

On le rencontre :
- dans certaines **locutions** :

> *sinon, non que, non seulement (... mais encore), non plus;*

- devant un **adjectif**, un **participe**, un **complément**, un **nom** :

> *une beauté non pareille; travail non fait; non sans raison;*
> *un non-lieu, un non-sens, un pacte de non-agression;*

- pour **opposer** deux éléments (avec ou sans **et**) :

> *prendre à droite, (et) non à gauche;*

- pour **renforcer** la négation (en tête ou fin de phrase) :

> *Non, je ne la verrai pas – Je ne la verrai pas, non.*

263. **Ne** est la forme **atone** de la négation.

1) Il est généralement **suivi d'un autre mot** qui prend à son contact une valeur négative, qu'il s'agisse :

- d'un **nom** (pas, point, goutte, mie) :

> *Je ne vois pas; tu ne vois point; il ne voit goutte (mie);*

- d'un **pronom**, **adjectif** ou **adverbe** (personne, rien, aucun, jamais) :

> *Je ne dis rien; tu ne ris jamais; il ne salue personne;*

Mais ces mots peuvent retrouver leur sens **affirmatif** initial :

> *Il parle mieux qu'**aucun** de nous – Est-il **rien** de plus beau?*
> *A-t-on **jamais** vu pareille chose?*

N.B. Rien, personne, aucun, jamais peuvent **précéder** ne (§ 181) :

> *Rien ne lui va – Personne ne sait – Jamais il ne sourit – Aucun ne rit.*

2) Il est parfois **seul exprimé** (sans : pas, point, rien ...) :

- dans des locutions plus ou moins **figées** :

> *N'importe – Qu'à cela ne tienne – Ne t'en déplaise – Je n'ose;*

- dans des propositions **interrogatives** ou **exclamatives** :

> *Qui ne rêve de Tahiti? – Que n'es-tu là, près de moi!*

- dans certaines propositions **subordonnées** :

> *Si je ne me trompe – Si je ne m'abuse – Si ce n'est toi ...*

3) Il est parfois **omis**, en proposition **elliptique** :

> *Point d'argent, point de suisse – «Lit-il? – Jamais».*

264. **Remarques**

a) **Ne** est parfois **explétif** (sans valeur négative) en subordonnée :

> *Je crains / qu'il **ne** parte – Partons / avant qu'il **ne** rentre;*

b) La locution **ne ... que** n'est pas négative, mais **restrictive** :

> *Elle n'aime que la musique (= elle aime uniquement la musique);*

c) Deux négations équivalent à une **affirmation forte** :

> *Je ne te déteste pas (= je t'aime) – Ce n'est pas mal (= c'est bien) – Vous n'êtes pas sans le savoir (= vous le savez);*

(éviter donc le **stupide** et trop fréquent :

> ** Vous n'êtes pas sans ignorer (qui veut dire : «Vous ignorez»!)*

d) Ne pas oublier, dans l'écriture, le **n'** dans des phrases comme :

> *On **n'**aime rien – En **n'**oubliant rien ...*

e) Pour l'emploi de la **conjonction ni**, voir § 278, 3.

d) L'adverbe d'interrogation

265. Les adverbes et locutions adverbiales d'**interrogation** sont :
- des **adverbes circonstanciels** en emploi interrogatif,
avec des nuances de **manière** (comment?), de **quantité** (combien?), de **lieu** (où? d'où? par où?), de **temps** (quand? depuis quand?), de **cause** (pourquoi?) :

> ***Comment** vas-tu? – **D'où** vient-il? – **Pourquoi** riez-vous?*

- la **périphrase est-ce que?** (en interrogation directe) et l'**adverbe si** (en interrogation indirecte) (voir § 381 sq) :

> ***Est-ce que** tu l'aimes? – Dis-nous / **si** tu l'aimes.*

N.B. **Pourquoi** est parfois remplacé par **que** :

> ***Que** ne se calme-t-elle? – **Que** tarde-t-il à revenir?*

2 – LA PRÉPOSITION

266. La **préposition** est un mot invariable posé (placé) devant un mot ou un groupe de mots (d'où son nom : **pré-position**), et unissant ce mot (ou ce groupe) au mot complété :

> *Je vais **chez** mon dentiste – Téléphonez **après** le dîner;*

Si l'adverbe se suffit à lui-même, la préposition, elle, est **inséparable** du mot ou groupe qu'elle introduit.

267. Son aspect, ses formes – Elle peut se présenter sous l'aspect :
- d'une **préposition simple** : à, de, pour, avec, sans, par, dans, sur, sous, vers, en, chez, avant, après, devant, derrière, depuis, contre, selon, malgré, outre, entre, dès, hors, hormis, sauf ... :

> *Il vivait **de** régime et mangeait **à** ses heures (La Fontaine);*

• d'une **locution prépositive** : à travers, d'après, par-dessus, au-dessus de, jusqu'à ce que, grâce à, près de, vis-à-vis de, avant de, afin de, à cause de, en faveur de, quant à, eu égard à, au sortir de ... :

*Elle aime se promener **à travers** champs et bois.*

268. Remarques

a) A côté de **ès** (= en les) (§ 62 NB), signalons 2 autres anciennes prépositions : **lez** (ou **lès**, ou **les**) (= à côté de) et **fors** (= hormis, sauf) :

*Plessis-**lez**-Tours; Jouy-**lès**-Reims; Saint-Rémy-**les**-Chevreuse;*
*Tout est perdu **fors** l'honneur (François 1ᵉʳ, après Pavie);*

b) **Voici** et **voilà** jouent parfois un rôle de préposition :

***Voici** huit jours que je suis là (= je suis là depuis huit jours);*

c) Un même mot est tantôt **adverbe**, tantôt **préposition** :

*Passez **devant** (adverbe); **devant** la fenêtre (préposition) ...*

269. Son rôle, ses valeurs

– La préposition introduit un **complément** qui peut être un **nom**, un **pronom**, un **adverbe**, un **infinitif** (cf Syntaxe) :

*un vase **de** cristal; viens **chez** nous; arrive **dès** demain;*
*il faut manger **pour** vivre et non vivre **pour** manger.*

N.B. Elle entre dans la formation du **gérondif** (§ 235) : *en travaillant; en lisant.*

270.

Certaines prépositions ont une valeur très précise et limitée; d'autres ont des valeurs très variées (à, de, par, pour, en, avec) :

*travailler **avec** un ami; **avec** ardeur; **avec** une pioche.*

N.B. Attention à **par**, qui n'est pas préposition, mais :
• **adverbe** dans «**par trop**» (= vraiment trop, bien trop);

*Cette jeune fille est **par trop** timide;*

• **nom** dans «**de par**» (altération de «de part», «de la part de») :

*de **par** le Roi (= de la part du Roi); de **par** Dieu (cf le nom propre Depardieu).*

271. Son omission

– Dans l'ancienne langue, le complément de nom se construisait directement **sans préposition** :

l'Hôtel-Dieu (cf de par Dieu), Bourg-la-Reine (= le bourg de la Reine);
force bêtises, force moutons (= une grande quantité de ...);

Il en est de même dans certaines expressions modernes (noms de **rues**, **places**, de **monuments**, d'**écoles**; termes **culinaires; dates; jargons** politique ou commercial) :

la rue Voltaire, la tour Eiffel, le lycée Lakanal;
le homard mayonnaise, le bœuf gros sel; début juin, fin novembre; la question finances; une veste sport ...

272. Ses emplois explétifs – Elle est parfois vide de tout sens, **explétive** (sans rôle grammatical), devant une apposition (§ 337 a), un attribut du sujet ou de l'objet, un adjectif épithète de pronom, un infinitif :

> La ville *de* Paris; le mois *de* juin – Il passe *pour* savant. Elle m'a traité *de* fou – Quoi *de* neuf? Quelqu'un *de* gentil – Il est permis *de* rire; elle aime *à* rire; et tous *de* rire.

273. Préposition et correction – On note trop souvent des négligences, des **incorrections** dans l'emploi de la préposition. Rappelons que :
a) on peut dire indifféremment :

> aimer lire, *à* lire (et même *de* lire); féliciter *de* (ou *pour*) un succès; il ne sert à rien (*de* rien) de gémir ...;

b) on obtient des sens différents par changement de prépositions :

> finir *de* parler et finir *par* parler; le train *de* (qui vient de) Lyon et *pour* (qui va à) Lyon; sourire *à* quelqu'un et *de* quelqu'un ...

c) on doit dire :

> parler *à* un ami mais causer *avec* un ami; aller *à* la boucherie mais *chez* le boucher; aller *en* voiture mais *à* bicyclette; être *près de* partir mais être *prêt(e)(s) à* partir ...

d) on doit dire (et gare aux incorrections!) :

> cent kilomètres *à* l'heure, et non **de* l'heure; être furieux *contre* ... et non **après* ...; laisser la clé *à* (*sur*) la porte et non **après* ...; deux fois *par* semaine et non **la* ...; *avant* peu, et non **sous* peu ; *quant à* moi et non **tant qu'*à moi; la femme *de* Jean et non **à* Jean; *en réponse à*, et non *suite à*...

3 – LA CONJONCTION

274. La **conjonction** est un mot invariable qui sert à joindre des mots ou des groupes plus ou moins importants. On distingue, d'après leur rôle, les conjonctions de **coordination** et les conjonctions de **subordination** :

> Le loup *et* l'agneau (*et* : conjonction de coordination);
> Je veux / *que* tu viennes (*que* : conjonction de subordination).

a) La conjonction de coordination

275. Son rôle – Elle sert à relier deux mots ou groupes de même nature (noms, pronoms, adjectifs, adverbes, propositions) :

> Le père et le fils – Toi et moi – Doux et patient – Jadis et naguère – Tu perds ton temps et elle travaille dur.

N.B. Elle peut unir, bien entendu, des **équivalents** (nom et équivalent, adjectif et équivalent) :
> Ton père et le mien – Légère et court vêtue.

276. Son aspect, ses formes – Elle se présente sous l'aspect d'une **conjonction** (un mot) ou d'une **locution conjonctive** (plusieurs mots).

● Chacun connaît les 7 conjonctions courantes :

> *mais, ou, et, donc, or, ni, car* (et le célèbre **jeu de mots** : *«Mais où est donc Ornicar?»*)

● On trouve, à côté d'elles divers **mots** ou **locutions** : cependant, au contraire, néanmoins, en effet, d'ailleurs, c'est-à-dire, à savoir, ainsi, aussi, c'est pourquoi ... :

> *Il est malade et (= c'est pourquoi) il reste au lit.*

N.B. Elle peut se présenter en **parallèle** : et ... et, ou ... ou, soit ... soit, ni ... ni, d'une part ... d'autre part ... :

> *Ou tu travailles, ou tu te passes de dessert.*

277. Ses valeurs – Elle exprime des rapports très variés : l'**addition** (et, ni), la **négation** (ni), l'**alternative** (ou, ou bien, ou ... ou, soit ... soit, tantôt ... tantôt), l'**opposition** (mais, pourtant, au contraire, cependant, néanmoins), la **cause** (car, en effet), la **transition** (or, or donc), la **conséquence** (c'est pourquoi, donc, par conséquent), la **gradation** (de plus, en outre, mais aussi), l'**explication** (c'est-à-dire, à savoir, soit) :

> *Je pense, **donc** je suis (Descartes) – Meurs **ou** tue (Corneille) – Il tremble, **mais** ne recule pas.*

278. Emplois divers – On constate qu'une seule et même conjonction peut exprimer, selon le contexte, diverses nuances.

1) La conjonction **et**, par exemple, peut marquer :
– l'**addition**, la **conséquence**, l'**opposition**, l'**indignation** :

> *Il pleut **et** il vente – Le vent souffle **et** le roseau plie – Le roseau plie **et** ne rompt pas – **Et** tu oses le soutenir!*

– l'**insistance**, en reliant tous les éléments, même le premier :

> *Il aime **et** les bonbons, **et** les gâteaux, **et** les chocolats;*

2) La conjonction **ou** (à distinguer des divers **où**, cf § 463) marque essentiellement une **alternative**, avec 2 nuances :

● un simple **choix**, indifférent (= ou peut-être, ou si l'on veut) :

> *Viens samedi **ou** dimanche;*

● une **exclusive** (= ou alors, ou au contraire) :

> *Choisis : c'est lui **ou** moi –*
> *La bourse **ou** la vie!*

Elle peut aussi marquer une **équivalence** (= c'est-à-dire) :

> *La nostalgie **ou** le mal du pays lui ronge l'esprit.*

3) **Attention** à la conjonction **ni**. Elle marque une **négation** doublée d'une **addition**, et s'emploie soit une fois, soit répétée :

a) Elle se rencontre surtout **répétée**, avec un seul **ne** devant ou derrière les deux **ni** :

> Je **n'**aime **ni** Pierre **ni** Paul – **Ni** Pierre **ni** Paul **ne** m'attirent;

b) Elle peut être employée **une seule fois** : entre 2 propositions indépendantes (ou principales) négatives, entre 2 subordonnées dépendant d'une principale négative, entre 2 termes introduits par la préposition **sans** :

> Il **ne** pleut **ni ne** vente – Je **ne** crois **pas** / qu'il pleuve **ni** vente cette nuit – Il vit **sans** amis **ni** relations (cf les expressions figées : sans foi **ni** loi; sans tambour **ni** trompette).

b) La conjonction de subordination

279. Son rôle – Elle sert à relier une proposition subordonnée à la proposition (principale ou non) dont elle dépend. La proposition qu'elle introduit **précède, coupe** ou **suit** celle dont elle dépend :

> **Quand** le chat n'est pas là, / les souris dansent;
> Les souris, / **quand** le chat n'est pas là, / dansent;
> Les souris dansent / **quand** le chat n'est pas là.

280. Son aspect, ses formes – Elle se présente sous l'aspect d'une **conjonction** (un mot) ou d'une **locution conjonctive** (plusieurs mots) :
● **conjonctions** : que, quand, comme, si;
● **locutions** : lorsque, dès que, puisque, parce que, pour que, à condition que, bien que, ainsi que ... (avec **que** soudé ou non).

> J'espère / **que** tu viendras dimanche;
> Je suis ravi(e) / **parce que** tu as réussi.
> Je forme des vœux / **pour que** tu réussisses.

281. Ses valeurs – Son étude est inséparable de la **syntaxe**, des 8 sortes de subordonnées dites «conjonctives» : la **complétive «par que»** et les 7 **circonstancielles** : de temps, de cause, de but, de conséquence, de concession (ou opposition), de condition et de comparaison (pour le détail, voir Syntaxe § 374 sq et § 386 sq); c'est le domaine essentiel de la traditionnelle **«analyse logique»**.

4 – L'INTERJECTION

282. Son rôle – L'**interjection** est un mot invariable, employé surtout dans la langue parlée, et donc dans les dialogues de la langue écrite. Mais contrairement à l'adverbe, à la préposition, à la conjonction, dont le rôle grammatical est important, l'interjection ne joue **aucun rôle grammatical** et ne s'analyse donc pas. Elle sert à donner du **relief**, de la vie, à la phrase, au style :

> **Pouah!** quelle horreur! – **Brr!** quel froid!

283. Ses formes – Elle se présente sous l'aspect d'un seul mot (**interjection**) ou de plusieurs mots (**locution interjective**). Elle provient d'origines diverses; elle peut être, en effet :

a) un simple **cri** :

ah! ha! oh! ho! ô! aïe! hep! hop! pst! (psitt!) hum! (hem! hm!)
brr! fi! pouah! bah! bof! euh! (heu!) eh eh! ...

b) une **onomatopée** (imitation d'un bruit, d'un cri d'animal) :

pan! pan pan! vlan! boum! badaboum! patatras! crac! cric
crac! clac! clic clac! plouf! teuf teuf! tic-tac! cocorico! coin-
coin! miaou! meuh! cui-cui! bê! ouaoua! ...

c) un **mot** (nom, adjectif, verbe, adverbe) employé comme interjection :

diable! ciel! peste! silence! paix! attention! flûte!...
bon! parfait! hardi! vrai! chic! mince!...
tiens! allons! voyons! soit! suffit ...
assez! vite! debout! arrière! bien! très bien!...

d) un **groupe de mots** plus ou moins complexe :

juste ciel! grands dieux! bon sang! mille sabords! tout beau! à la
bonne heure! par exemple! voyez-vous ça!...

e) un **juron déformé** (par scrupule, par euphémisme) :

parbleu! morbleu! tudieu! palsambleu! ventre Saint-Gris!

f) un **juron**, une **injure** (les «gros mots» abondent en français, langue volontiers gauloise et rabelaisienne) :

putain! saloperie! merde! ...

g) un **mot étranger** :

bis! bravo! hourrah! stop! baste! go! O.K.! allo! ...

284. Ses nuances – L'interjection peut exprimer des nuances très variées :

enthousiasme : *bravo! hourrah!*	**douleur** : *hélas! aïe! ouille!*
admiration : *ah! oh!*	**indifférence** : *bah! bof! tiens!*
soulagement : *ouf!*	**doute** : *hum! ouais! ouiche!*
exhortation : *courage! allons!*	**ordre** : *chut! paix! silence!*
interrogation : *hein?*	**appel** : *hep! ohé! pst!*
excitation : *kiss-kiss!*	**surprise** : *diable! diantre! tiens!*
juron déformé : *parbleu!*	**juron** : *ta gueule!*
dépit : *mince! zut! crotte!*	**ironie** : *voire!*

N.B. Si certaines interjections ont un sens précis et limité, d'autres possèdent une gamme très riche de nuances; par exemple : **ah!** et **oh!** qui, selon l'**intonation**, peuvent aller de l'**enthousiasme** le plus délirant au **désespoir** le plus noir.

LA SYNTAXE

Syntaxe
de la
proposition

Syntaxe
de la phrase

Grammaire
et langue

285. **La morphologie** est inséparable de la **syntaxe** : nous l'avons bien senti en étudiant les diverses espèces de mots, dans notre 1re partie ; de l'étude des **formes** (morphologie) nous avons souvent glissé vers l'étude des valeurs, des rôles, des **fonctions** (syntaxe). Il nous reste à étudier, en détail :

a) la **syntaxe de la proposition**, avec les nombreuses **fonctions du nom** (de son groupe, de ses équivalents) et les 4 **fonctions de l'adjectif qualificatif** (et de ses équivalents) sans oublier les autres **adjectifs,** les **pronoms,** le **verbe** et les **mots invariables** (§ 351-355) ; c'est le domaine de ce qu'on appelle, traditionnellement, **« l'analyse grammaticale »** ;

b) la **syntaxe de la phrase**, avec le jeu des diverses **propositions** : indépendantes, principales, subordonnées ; c'est le domaine de **« l'analyse logique »**.

Syntaxe de la proposition

286. **La proposition** (cf § 11 et 162) est un ensemble de mots qui, gravitant autour d'un **verbe**, exprime un fait, une idée, une volonté; plus simplement elle dit ce que fait, ce que subit, ce qu'est **le sujet du verbe** :

> **Le chat** guette la souris – **La souris** est guettée par le chat – **Le chat** est un félin.

1 – LE NOM

287. **Du nom au groupe du nom** – Le nom se présente :
- rarement seul, sauf dans l'**apostrophe**, l'**ordre**, l'**exclamation** :

> Paul! – Médor! – Paix! – Silence! – Malheur! – Catastrophe!

- le plus souvent accompagné d'un ou plusieurs mots qui forment avec lui **le groupe du nom**; parmi les «compagnons» du nom on distingue : les mots qui l'**introduisent**; les mots qui le **complètent**.

> **Le** chat, **ce** chat; (ce) chat **noir**.

288. **Les mots qui introduisent le nom** – Ce sont, nous le savons, les **«déterminants»** : article, adjectif pronominal, et numéral cardinal :

> le (un) chat, du lait; mon (ce, tout) chat; deux chiens.

N.B. Ces déterminants, au lieu de se remplacer, peuvent **s'associer** :

> un certain loup; ces deux chats; nos trois chiens.

289. **Les mots qui complètent le nom** – Ce sont :
- l'**épithète** (adjectif qualificatif, et numéral ordinal), qui s'allie aux déterminants et enrichit le groupe du nom :

> Ce joli chat **siamois** – Le (mon, ce) **troisième** chien;

- l'**apposition** : adjectif qualificatif, numéral ordinal, ou nom :

> Ce chien, **fidèle à son maître** – Ce chaton, **deuxième de la portée** – Le lion, **terreur des forêts**;

- le **complément du nom** (mot ou groupe) :

> Un chien **de race** – Un chat **aux grands yeux verts**.

290. Le groupe du nom, généralement situé dans une seule et même proposition, peut déborder sur une subordonnée (relative ou complétive) :

> *Un souriceau tout jeune **et qui n'avait rien vu** (= naïf);*
> *L'espoir **que son fils guérira** la soutient (= l'espoir **de la**
> **guérison de son fils** la soutient).*

291. Les équivalents du nom – Chemin faisant (§ 33, et Morphologie, passim), nous avons rencontré de nombreux équivalents du nom : le **pronom** et son groupe, le **numéral** et son groupe, le **superlatif** employé seul, l'**adverbe de circonstance** et le groupe **de l'adverbe de quantité**, l'**infinitif-nom** :

> *Chacun aime les siens – Trois (de mes amis) sont venus –*
> *Que le plus coupable périsse! – Ailleurs (= en autre lieu) –*
> *Beaucoup d'élèves (= de nombreux élèves) –*
> *Il aime lire (= la lecture).*

292. Ces divers équivalents peuvent soit le **remplacer**, soit l'**accompagner** :

> *Le vent s'attaque au chêne; **il le** déracine;*
> *Ton père, **celui de Jean** et **le mien** sont de bons amis.*

Certains de ces équivalents ont **toutes** les **fonctions** possibles du nom, certains autres seulement **une** ou **quelques-unes**.

A – LES FONCTIONS
DE BASE DU NOM

293. Le nom (ou son **groupe**, ou son **équivalent**) a, dans la proposition, de nombreuses fonctions possibles, que nous allons passer en revue, et qu'il est bon de bien connaître. On ne maîtrise vraiment une langue que si l'on sait «l'analyser», dans ses nuances.
Et d'abord, voyons les **fonctions de base** du nom.

a) Le sujet

294. Le sujet, dit-on parfois, c'est «ce dont on parle»; le reste de la proposition (verbe + attributs ou compléments) c'est «ce que l'on en dit», et qu'on appelle le **«prédicat».** Plus traditionnellement, on dit que le sujet (nom ou équivalent) représente l'être ou la chose qui **fait** ou **subit** l'action, ou qui se trouve dans l'**état** exprimé par le verbe (cf § 162 et 286) :

> *La **tempête** fait rage; **chacun des marins** est à son poste.*

N.B. Nous avons vu que seuls des 7 modes, l'**impératif** et le **gérondif** n'ont jamais de sujet exprimé (cf § 179, a; 210, a; 237) :

> ***Mange** et **tais-toi** – Il ronfle / **en dormant**.*

295. Un seul verbe peut avoir **plusieurs sujets** (chacun d'eux étant « **partiel** ») :

> *Pierre, Paul et moi sommes très liés;*

Plusieurs verbes peuvent avoir **un seul sujet** (sujet « **commun** ») :

> *L'attelage suait, soufflait, était rendu (La Fontaine).*

296. Généralement placé **devant** le verbe (ou le prédicat), le sujet peut aussi être **derrière**; il est alors dit « **inversé** » :

> *Le long d'un clair ruisseau buvait **une colombe** (La Fontaine);*
> *A quelle heure rentre **votre père**? – Es-**tu** stupide!*
> *C'est un trou de verdure / où chante **une rivière** (Rimbaud).*

N.B. a) Le sujet peut être **redoublé** par un pronom (pronom d'**annonce** ou pronom de **reprise**, selon qu'il est devant ou derrière le sujet) :

> *Il est savant, ce professeur – Ce professeur, il est savant.*

b) Il peut être mis en relief par le gallicisme **c'est... qui** :

> *C'est mon père qui a écrit ce livre.*

297. Quand le verbe est introduit par un **pronom neutre**, le vrai sujet est derrière : c'est le sujet « **réel** » ou « **logique** »; le pronom neutre n'est que le sujet « **apparent** » ou « **grammatical** » :

> *Il court **des bruits** fâcheux – Il y a **un chat** dans l'arbre –*
> *Il était une fois **un roi et une reine**...*

298. Remarques

a) Le pronom sujet est parfois **omis** (cf § 131, b) :

> *Suffit! – Peu importe – Reste à savoir – Soit dit entre nous;*

b) Parmi les **équivalents sujets**, ne pas oublier la **subordonnée** (relative ou **complétive**) (cf § 369, 374, 381) :

> *Qui vivra / verra – Qu'il revienne / m'étonnerait.*

Cette subordonnée peut même être sujet **inversé**, ou sujet **réel** :

> *De toi dépend / qu'il vienne – Il faut / qu'il vienne.*

b) Le complément d'objet

299. Le complément d'objet du verbe (nom ou équivalent) représente l'être ou la chose sur lesquels porte l'action exercée par le verbe à la voix **active** :

> *J'aime **le son du cor**; je l'entends toujours avec émotion;*

La tradition distingue le complément d'objet **direct** (c.o.d.), construit sans préposition, après un verbe dit **transitif direct** (§ 167) :

> *J'aime (quoi?) **le son du cor**;*

et le complément d'objet **indirect** (c.o.i.) introduit par une préposition, après un verbe dit **transitif indirect** :

> *Tu dois te souvenir (de quoi?)* **de nos jeunes années.**
> *On ne saurait penser (à quoi?)* **à tout.**

Mais ce qui compte c'est la notion d'**objet**; notons les **équivalences** :

> *Je me souviens du passé = je me rappelle le passé.*
> *Il recourut à une ruse = il utilisa une ruse.*

300. Remarques

a) Le c.o.d. peut **précéder** le verbe (interrogation, exclamation, mise en relief, pronom de reprise, gallicisme **c'est... que**, expressions figées) :

> **Quels livres** *aimes-tu? –* **Quel temps** *nous avons eu cet été!*
> *Cet homme, je* **le** *déteste –* **C'est** *cet homme* **que** *je déteste –*
> **Chemin** *faisant –* **Sans coup** *férir.*

b) Parmi les équivalents du nom qui peuvent être c.o.d., ne pas oublier la subordonnée (relative ou complétive; cf § 369, 374) :

> *Aimez /* **qui vous aime** *(= vos amis);*
> *Je veux /* **qu'on soit sincère** *(= de la sincérité).*

c) Ne pas confondre c.o.d. et sujet réel dans :

> *Il a* **un chalet** *sur la hauteur – Il y a* **un chalet** *sur la hauteur.*

c) Le complément d'agent

301. Le complément d'agent du verbe **passif** (nom ou équivalent) représente l'être ou la chose (personnifiée ou non) par qui est accomplie l'action exprimée par le verbe (à la voix passive) :

> *Il fut puni* **par le maître** *– Elle a été mordue* **par un chien** *– Le bateau fut emporté* **par la tempête** *et malmené* **par les flots.**

Il mérite bien son nom : il agit, il est l'**agent** de l'action; il devient en effet **sujet** si on tourne la proposition à l'actif :

> *L'oiseau est dévoré* **par le chat** *(= le chat dévore l'oiseau).*

Il faut donc éviter de le ranger parmi les compléments circonstanciels.

302. Remarques

a) Seuls les verbes transitifs **directs** (+ obéir, désobéir, pardonner : transitifs indirects) peuvent exister au passif, donc avoir un complément d'agent :

> *Il est obéi (désobéi)* **par ses élèves** *– Elle fut pardonnée* **par lui.**

On peut même parler de c. d'agent (**sans verbe passif**!) dans :

> *Je l'ai souvent entendu dire* **par mon grand-père;**
> *Elle vous fera porter cette lettre* **par son fils.**

b) Le complément d'agent est introduit par **par** ou **de** :

> *Nous avons été réveillés **par** un fracas terrible;*
> *Cette enfant est aimée **de** tous et **de** chacun.*

N.B. Il est même introduit par **à** dans la **locution figée** «mangé aux mites» :

> *Ce vieux tapis est mangé **aux mites** (= par les mites).*

c) Ne pas confondre c. d'agent et c. circonstanciel de cause :

> *Être puni **par sa mère** (agent); être puni **par erreur** (cause).*

d) Le complément d'attribution

303. Le complément d'attribution du verbe (nom ou équivalent) représente l'être ou la chose auxquels est **destinée** l'action exprimée par le verbe (actif, passif ou pronominal) :

> *J'ai prêté un livre **à Paul** – Un gros os a été jeté **à Médor** –*
> *Des soins attentifs sont donnés **à la vigne**.*

Il accompagne souvent un c.o.d. (qu'il **précède** ou qu'il **suit**) avec des verbes comme : donner, offrir, attribuer, accorder, prêter, confier, imposer ...; on l'appelle souvent **«objet second»** :

> *Prêter un livre **à un ami**; confier **à un ami** un grand secret.*

Mais il peut s'employer seul, le c.o.d. étant **omis** :

> *Écrire **à un ami**; parler **à son voisin**.*

304. Remarques

a) Généralement introduit par **à**, il peut l'être par **pour**; on peut alors l'appeler complément de **destination**, ou d'**intérêt** :

> *Elle a acheté (ou cueilli) des fleurs **pour sa mère**.*

Avec **être** et **appartenir**, on peut l'appeler complément d'**appartenance** :

> *Cette villa appartient (est) **à mes meilleurs amis**.*

b) Attention à l'**équivoque** contenue dans la phrase :

> *J'ai acheté un livre **à Paul**.*

Paul est-il le **destinataire** (attribution)? ou le **vendeur** (origine; cf § 319)?

e) L'attribut du sujet

305. L'attribut du sujet (nom ou équivalent) exprime une qualité attribuée au sujet par l'intermédiaire d'un verbe :

> *Mon fils sera **médecin** – Ce mal semble **une pleurésie**.*

Le verbe qui relie l'attribut au sujet peut être :

● le verbe **être** ou un verbe d'**état** : sembler, paraître, devenir, rester, demeurer ... ;

> Il est devenu **un virtuose**; il **le** restera toujours;

● un verbe **intransitif** comme : naître, vivre, mourir, partir, revenir, arriver ... :

> Il partit **soldat**, il revient **officier**, il mourra **général**;

● un verbe **passif** comme : être nommé, être choisi, être élu, être déclaré...; ou **pronominal** comme s'appeler (= être appelé) :

> Il a été élu **député**; il s'appelle **M. Dupont**;

● un verbe suivi d'une **préposition** (à, de, pour) ou de la **conjonction** comme : passer pour, servir de, être traité de, avoir l'air de, être pris à, être considéré comme :

> Il passe **pour un héros** – Tu serviras **d'arbitre** –
> Elle fut prise **à (comme) témoin**.

N.B. Pour l'adjectif qualificatif attribut du sujet, cf § 344.

306. Remarques

a) L'attribut du sujet peut **précéder** verbe et sujet (interrogation, exclamation, mise en relief avec ou sans pronom de reprise, complétive à sujet inversé) :

> **Que** deviens-tu? – **Quel grand garçon** il est devenu! – **Amies** elles sont, **amies** elles (le) resteront – **Le mieux** est que tu avoues (= Que tu avoues est le mieux);

b) Ne pas confondre **attribut du sujet** et **complément d'objet direct** :

> Il devient **un artiste** (attribut) – Il connaît **un artiste** (c.o.d.);

N.B. Chacun connaît les **équivoques**, les **jeux de mots** grammaticaux suivants :

> Je **suis** un idiot (attribut, v. être); je **suis** un idiot (c.o.d., v. suivre);
> Il **fait** bien l'andouille (c.o.d.; ce bon charcutier); il **fait** souvent l'andouille (sens figuré, attribut).

c) L'attribut du sujet se rencontre souvent avec pour sujet **ce, c'** :

> C'est **un ami** – C'étaient **des disputes sans fin**.

f) L'attribut de l'objet

307. L'attribut de l'objet (ou du c.o.d.), (nom ou équivalent) exprime une qualité attribuée au c.o.d. du verbe (nom ou équivalent) :

> Je sais cet homme **un tireur d'élite** – On nomme ce chien **un basset** – Je croyais son mal **une pleurésie**.

On rencontre l'attribut de l'objet (ou du c.o.d.) :
– après des verbes **actifs transitifs directs** comme : nommer, appeler, choisir, élire, déclarer, croire, juger, estimer... :

> Tu crois cet homme **un saint** – On l'a élue **reine de beauté**;

– précédé d'une **préposition** (à, de, pour) ou de la **conjonction** comme, après des verbes **actifs** comme : traiter de, tenir pour, prendre à, considérer comme :

> Elle m'a traité **de voleur** – Je tiens cela **pour une erreur** – Je vous prends **à témoin** – Il considère Jean **comme un ami**.

N.B. Pour l'**adjectif qualificatif** attribut de l'objet, cf § 346.

308. Remarques
a) L'attribut du c.o.d. **précède** ou **suit** le c.o.d. :

> Il a **pour** (**comme**) **prénom** Paul et **pour** (**comme**) **nom** Durand
> = Il a Paul **pour prénom** et Durand **comme nom**.

b) Ne pas le confondre avec un complément **circonstanciel** :

> Je te considère comme un **ami** (attribut du c.o.d. **te**);
> Tu as agis comme **un ami** (c. circ. de comparaison, cf § 316).

B – LES COMPLÉMENTS CIRCONSTANCIELS

309. En plus des fonctions de base que nous venons d'exposer, la proposition peut utiliser un ou plusieurs compléments moins nécessaires, mais qui enrichissent la pensée de leurs nombreuses nuances :

> Le sauveteur disparut (où) **dans la foule** (quand?) **après son exploit** (comment?) **avec rapidité** (pourquoi?) **par pudeur**.

a) Le complément de lieu

310. Le complément circonstanciel de **lieu** (nom ou équivalent) possède 4 nuances (comme l'adverbe de lieu, cf § 251) :
● Le lieu **où l'on est** :

> J'habite **en banlieue**; j'**y** vis au calme;

● le lieu **où l'on va** :

> Je vais **en ville**; je passerai **chez toi**;

● le lieu **d'où l'on vient** :

> Je rentre **de Grèce**, j'**en** reviens ébloui(e);

● le lieu **par où l'on passe** :

> Je passerai **par la Suisse** et l'Italie (pour aller en Crète).

N.B. Il peut se construire **directement**, sans préposition :

> Habiter **rue Jean-Jaurès**; se rendre **boulevard** (de) **Magenta**.

b) Le complément de temps

311. Le complément circonstanciel de **temps** (nom ou équivalent) possède 2 nuances, à préciser dans l'analyse :

● la nuance **date**, qui répond à la question **quand?** :

> J'arriverai (quand?) **demain** et repartirai (quand?) **après toi**;

● la nuance **durée**, qui répond à la question **combien de temps?** :

> Elle a gardé le lit **pendant plusieurs semaines**.

N.B. Il peut se construire **directement**, sans préposition :

> Je pars **la semaine prochaine**; je serai absent **deux mois**.

c) Le complément de cause

312. Le complément circonstanciel de **cause** (nom ou équivalent) répond à la question **pourquoi? à cause de quoi?** posée après le verbe :

> Il grelotte **de fièvre** – Je fus puni(e) **par erreur** – Je te gronde **pour (à cause de)** ce mensonge – Il fut relâché **faute de preuves**.

d) Le complément de manière

313. Le complément circonstanciel de **manière** (nom ou équivalent) répond à la question **comment? de quelle manière?** posée après le verbe. On le rencontre soit avec une préposition, soit sans préposition (le nom étant accompagné d'un adjectif), soit de façon **elliptique** (le nom étant **omis**) :

> Voir **avec peine**; vivre **sans espoir**; marcher **à pas lents** – Parler **la bouche pleine**; aller **pieds nus** et **tête nue** – Manger **à la française**; peindre **à la Picasso**...

N.B. Nous avons vu que la manière peut s'exprimer aussi par **un adverbe** (§ 240-245), un **infinitif-nom** (§ 223), un **gérondif** (§ 236 N.B.)

> Avancer **à tâtons**; agir **sans réfléchir**; parler **en zozotant**.

e) Le complément de moyen

314. Le complément circonstanciel de **moyen** (nom ou équivalent) répond à la question **comment? au moyen de quoi?** posée après le verbe :

*Frapper **du poing**; marcher **au gaz**; voyager **par avion**; payer **en blé**; avancer **grâce à un vent favorable**...*

N.B. Très proche du complément de manière (qui représente un nom **abstrait**), il représente un nom **concret** :

*Travailler avec **ardeur** (manière), avec **une pioche** (moyen).*

f) Le complément d'accompagnement

315. Le complément circonstanciel d'**accompagnement** (nom ou équivalent) répond à la question **comment? en compagnie de qui?** posée après le verbe :

*Elle sort **avec sa mère** – Viens jouer **avec moi, avec nous.***

N.B. Proche des compléments de **manière** et de **moyen**, il s'en distingue parce qu'il désigne des **êtres animés** :

*Je sortirai **avec toi** – Il joue **avec son chat et son chien**.*

g) Le complément de comparaison

316. Le complément circonstanciel de **comparaison** (nom ou équivalent) répond à la question **comment? comme qui? comme quoi?** posée après le verbe :

*Manger **comme (ainsi qu')** un ogre** – Parler **en maître** – Être jugé **selon ses mérites** – Vivre **à la façon d'un sage**.*

317. Remarques
a) Il peut s'analyser comme faisant partie d'une subordonnée **comparative elliptique** (§ 405) :

*Il est bête **comme une oie** (oie : c. circ. de comparaison, ou **sujet** d'un verbe sous-entendu = comme une oie est bête);*
*J'aime les bonbons / **comme les gâteaux** (gâteaux : c. c. de comparaison, ou c.o.d. d'un verbe sous-entendu = comme j'aime les gâteaux);*

b) Saluons l'**équivoque** savoureuse dans la phrase :

Il aime les chocolats / comme sa mère (mère : sujet? ou c.o.d. du verbe sous-entendu? = comme sa mère les aime? ou comme il aime sa mère?)

h) Le complément de quantité

318. Le complément circonstanciel de **quantité** (nom ou équivalent) répond à la question **combien?** posée après le verbe et exprime diverses nuances :

*Ce tableau vaut **un million (prix)** – Cet hercule pèse **cent kilos (poids)** – Elle mesure **un mètre soixante-dix (taille)** – Cette piste fait **quatre cents mètres (dimension)** – Ils ont marché **dix kilomètres (distance)** – Il a **dix ans (âge)**.*

i) Autres compléments circonstanciels

319. La gamme des compléments circonstanciels est très riche; citons:
● le **but**:

> *Lutter **pour la liberté** – Viser **à la perfection**;*

● le **propos**:

> *Parler **d'un ami** – Bavarder **poésie, peinture, musique**;*

● le **point de vue**:

> *Être Canadien **de naissance** et Français **de cœur**;*

● l'**origine**, la **provenance**:

> *Hériter **d'un oncle** – Emprunter **à un ami** – Naître **de sang noble**;*

● la **conséquence**:

> *Réussir **à la surprise générale** (et **à notre grande joie**);*

● la **concession (l'opposition)**:

> *Courir **malgré une blessure** – Sortir **en dépit de la tempête**;*

● la **condition**:

> ***Avec du travail,** tu réussirais – **Sans lecture,** je m'ennuierais.*

C – LES AUTRES FONCTIONS DU NOM

320. Outre les fonctions qui gravitent autour du **verbe**, et que nous venons d'étudier, le nom (ou son équivalent) peut avoir d'autres fonctions importantes. Ce sont:
● les compléments du **nom**, du **pronom**, de l'**adjectif numéral**, de l'**adverbe**, de l'**adjectif qualificatif**;
● l'**apostrophe** et l'**apposition**.

a) Le complément du nom

321. Le nom (ou son équivalent) **complément du nom** précise le sens de ce nom auquel il est relié par diverses **prépositions**:

> *Le vent **de mer**, un ver **à soie**, un bijou **en or**, un coiffeur **pour**
> **dames**, un voyage **par air**, un jour **sans pain**...*

N.B. a) Ne pas oublier les **contractions** de **à, de, en** (§ 62) dans :

> *la pêche **au thon**, l'odeur **du pain**, un docteur **ès lettres**;*

b) Ne pas oublier l'omission de la préposition (§ 271) dans :

> *L'Hôtel-Dieu; Bourg-la-Reine; force moutons...*

322. Comme le complément du verbe, le complément du nom exprime de nombreuses **nuances**, qu'on ne précise pas, généralement, dans l'analyse, mais qu'il est bon de sentir.
– Les principales sont : la **possession**, la **matière**, la **qualité** :

> *La maison **de Claudine** – Le bateau **de mes amis** –*
> *Une montre **en or** – Un vase **de cristal** –*
> *Un poète **de talent** – Un homme **à principes**;*

– Parmi les autres nuances citons celles de :
- **lieu, origine** : *la pêche **en mer**; un fromage **d'Auvergne**;*
- **destination** : *une robe **de bal**; un verre **à vin**;*
- **contenu** : *un verre **de vin**; une tasse **de thé**;*
- **quantité** (cf § 318) : *un tableau **d'un million** (prix);*
- **propos** : *un livre **de grammaire**; une leçon **d'histoire**;*
- **sujet** ou **objet de l'action** contenue dans le nom complété :

> *le travail **du graveur** (c'est le graveur qui travaille; sujet)*
> *le travail **du cuivre** (on travaille le cuivre; objet)*

N.B. Attention à l'**équivoque** contenue dans la phrase :

> *La crainte de l'ennemi est très forte* (ou c'est l'ennemi qui craint : nuance **sujet**;
> ou on le craint : nuance **objet**).

b) Le complément du pronom

323. Le pronom remplaçant majeur du nom, peut, comme lui, avoir un complément (nom ou équivalent) :

> *Chacun **de** (d'entre, parmi) **mes amis** sera le bienvenu;*

Des 6 sortes de pronoms (§ 125), seuls 3 peuvent avoir un complément : ce sont les pronoms **démonstratif**, **indéfini** et **interrogatif** :

> ***Ceux** de mes amis; **certains** de mes amis; **qui** de mes amis?*

324. Remarques
a) Le complément du pronom **démonstratif** exprime plusieurs nuances :

> *Ma maison et celle de mon voisin (**possession**) – Ceux de la ville*
> *(**lieu**) – Celles du dimanche (**temps**) – Ceux d'entre vous qui*
> *écoutent (nuance **partitive** + **relative**);*

111

b) Le complément des pronoms **indéfini** et **interrogatif** a une nette nuance **partitive** :

> Chacun *de (d'entre, parmi)* ***mes amis*** – Quelques-uns ***d'entre eux***.
> Qui *de (d'entre, parmi)* ***tes amis?*** – Lequel ***d'entre vous?*** ...

c) Le complément de l'adjectif numéral

325. Employé seul (en fonction de pronom, § 95, a; 101, b), **l'adjectif numéral,** cardinal ou ordinal, peut s'enrichir d'un complément (nom ou équivalent), avec une nette valeur **partitive** (cf § 324) :

> Trois *de (d'entre, parmi)* ***mes amis*** arrivent ce soir;
> Il marie la troisième *de (d'entre, parmi)* ***ses filles*** demain.

d) Le complément de l'adverbe

326. L'adverbe circonstanciel (de **manière** et, surtout, de **quantité**) peut avoir un complément (cf § 245 et 248) :

> Il a agi conformément (contrairement) ***à la loi (aux usages)***;
> J'ai éprouvé beaucoup ***de chagrin*** (bien ***du chagrin***).

e) Le complément de l'adjectif qualificatif

327. L'adjectif qualificatif, quels que soient sa **fonction** (cf § 338 sq) et son **degré** (cf § 115 sq), peut avoir un complément (nom ou équivalent) :

> Prompt ***à la colère***; riche ***de promesses***; fort ***en calcul***; bon ***pour les animaux***; dur (plus dur, très dur) ***envers les méchants*** ...

328. Le complément de l'adjectif qualificatif est riche de **nuances** :
- **cause** : *fier d'une réussite; célèbre pour un exploit;*
- **moyen** : *plein(e) de lait; plein(e) de fleurs;*
- **origine** : *natif de la province; issu(e) du peuple;*
- **point de vue, propos** : *fort en histoire; élégant de forme;*
- **mouvement vers** : *bon pour (envers) les faibles;*
- **éloignement, privation** : *exempt d'impôts; absent de la fête;*
- **objet de l'action** : *avide de gloire; capable de progrès ...*

329. Remarques
a) Enrichi d'un complément, un adjectif voit curieusement son sens **se restreindre** ou devenir **figuré** :

> Une femme **libre**; une femme **libre de tout souci matériel**.
> Un garçon **fort**; un garçon **fort en calcul**.

b) Un adjectif peut avoir 2 compléments de nuances différentes :

>*Tu es capable **de progrès** (objet) **en calcul** (point de vue).*

f) Le complément de l'adjectif au comparatif

330. L'adjectif qualificatif au **comparatif** (§ 115-119) peut avoir un complément. Ce complément (nom ou équivalent), introduit par la conjonction **que** n'est autre qu'une subordonnée circonstancielle de comparaison, complète ou elliptique :

>*Tu es plus (moins) petit / **que ta sœur** (ne l'est);*

Il est proche du complément circonstanciel de comparaison (§ 317, a) :

>*Il est aussi bête **qu'une oie** = il est bête **comme une oie**.*

331. Remarques

a) Le complément des adjectifs **supérieur, inférieur, antérieur** ... (véritables comparatifs, § 118, b) est introduit par **à** (et non par **que**) :

>*Il est supérieur **à son frère**, mais inférieur **à toi**;*

b) Le complément du comparatif peut s'accompagner d'un autre complément :

>*Tu es plus forte / que ton amie / en grammaire;*

c) Proche de lui est le complément du comparatif d'un **adverbe** (§ 244) :

>*Il a agi plus (aussi, moins) habilement / que son ami (que lui).*

g) Le complément de l'adjectif au superlatif

332. L'adjectif qualificatif au **superlatif relatif** (de supériorité ou d'infériorité, § 120-123) a très souvent un complément :

>*Il est le plus (le moins) attentif **de mes enfants**;*

Ce complément se présente sous l'aspect :
● d'un **nom** ou d'un **groupe du nom** au **pluriel** :

>*L'absence est le plus grand **des maux**;*

N.B. Quand il semble au **singulier**, c'est qu'il y a une omission :

>*Le plus doué **de la classe** (= des élèves de la classe);*

● d'un **pronom** ou d'un **groupe du pronom** :

>*Le plus (le moins) doué **de nous** (**de ceux de la famille**);*

● d'une subordonnée **relative** au **subjonctif** (cf § 372) :

>*C'est le plus beau / **qui soit** (**que je connaisse, que j'aie jamais rencontré**).*

333. Remarques

a) Le complément du superlatif a une nette nuance **partitive** :

>   *Tu es le plus (le moins) gentil* **de (d'entre, parmi) mes amis;**

b) Le superlatif prend, curieusement, le **genre** de son complément :

>   *La plus sotte* **des bêtes** *(f.)* – *Le plus sot* **des animaux** *(m.)*

c) Le superlatif peut s'accompagner d'un autre complément :

>   *Tu es le plus fort / de nous tous / en grammaire.*

h) L'apostrophe

334. Le nom (ou son groupe) est mis en apostrophe quand il désigne l'**être animé** (nom commun ou nom propre) ou la **chose personnifiée** à qui l'on s'adresse, qu'on interpelle, qu'on apostrophe :

>   **Homme libre,** *toujours tu chériras la mer (Baudelaire).*
>   *Mords-les,* **Fidèle** *– Dehors,* **Médor***!*
>   *Sonnez, sonnez toujours,* **clairons de la pensée** *(Hugo).*

335. Remarques

a) L'apostrophe ne dépend grammaticalement d'aucun autre mot de la proposition. Isolée par une ou deux virgules, elle **précède**, **coupe,** ou **suit** la proposition qu'elle accompagne :

>   **Chœurs,** *interrompez-vous; cessez,* **danses légères** *(Hugo);*

b) Elle est parfois précédée de l'**interjection ô** (dans le style solennel, ou ironique), ou d'un article (style familier) :

>   **O temps,** *suspends ton vol (Lamartine) – Voile-toi la face,* **ô muse des comices agricoles** *(Daudet) – Silence,* **les gosses***!*

i) L'apposition

336. Le nom (ou son groupe), mis en apposition, précise la nature ou la qualité du nom auquel il est apposé, ce nom ayant **n'importe quelle fonction** dans la proposition :

>   *Le lion,* **terreur des forêts,** *convoqua ses sujets;*
>   *Chacun redoute la colère du lion,* **terreur des forêts***;*
>   *Nous te redoutons, ô lion,* **terreur des forêts** ...

L'apposition est généralement isolée du nom auquel elle est apposée soit par une virgule, soit par **deux points** :

>   *Pierrot,* **le chat,** *et Lili,* **la tortue,** *ne se quittent plus (Colette) – Tout le monde est sur pied :* **pigeons, canards, dindons, pintades** *(Daudet);*

mais elle peut être **juxtaposée**, sans ponctuation aucune :

> *Le poète **Victor Hugo**, l'orateur **Mirabeau**, l'ingénieur **Eiffel**;*

(à distinguer du complément de nom sans préposition; cf § 271 :

> *Le lycée **Victor Hugo**, le pont **Mirabeau**, la tour **Eiffel**).*

337. Remarques
a) Elle est parfois introduite par une préposition **explétive** (§ 272) :

> *La ville de Paris, l'île de Sein, le mois de juin;*

(à ne pas confondre avec des **compléments·de nom** :

> *Les rues de Paris, les marins de Sein, les soirées de juin);*

b) Par élégance de style, elle peut se trouver loin du mot auquel elle se rapporte :

> *Les flots, le long du bord, glissent, **vertes couleuvres** (Hugo).*

2 – L'ADJECTIF QUALIFICATIF

338. Nous avons étudié la **morphologie,** parfois capricieuse, de l'adjectif qualificatif et ses **degrés** de signification (§ 103 sq).
Nous avons vu (§ 290) qu'il peut faire partie du groupe du nom. Nous venons enfin d'examiner les **compléments** de l'adjectif qualificatif, du comparatif et du superlatif (§ 327-333).
Il nous reste à étudier ses **4 fonctions** : épithète, attribut du sujet, attribut de l'objet, apposé.
Mais· d'abord, évoquons ses **équivalents**.

339. Ses équivalents – Comme le nom (§ 291-292), l'adjectif qualificatif a de nombreux équivalents possibles, qui peuvent être :
● un **nom commun** :

> *Un air **bête**, une robe **rose**, un enfant **prodige**;*

● un **participe** (présent ou passé) :

> *Un enfant **souriant**; une fillette **bouclée**;*

● un **nom** ou **groupe du nom** (avec ou sans préposition) :

> *Un homme **de bonne foi** (= loyal); un chien **en laisse** (= captif);*
> *La maison **des ancêtres** (= ancestrale); une voie **sans issue**;*

● un **adverbe** :

> *Une fille **bien**, le temps **jadis**, des places **debout**;*

- un **superlatif** à valeur **partitive** :

> Un esprit **des plus fins** (= très fin);

- un groupe de l'**adverbe de quantité** :

> Un conteur disert et **de beaucoup d'esprit**;

- un **infinitif** précédé de la **préposition à** :

> Maison **à vendre** (**à louer**) (= disponible à la vente, à la location);

- une subordonnée **relative** (cf § 369) :

> Un souriceau tout jeune et **qui n'avait rien vu** (= naïf);

- une subordonnée circonstancielle de **comparaison** :

> Un homme (une femme) **comme il faut** (= convenable).

a) L'adjectif épithète

340. L'adjectif qualificatif (ou son groupe, ou son équivalent) est **épithète** du nom lorsqu'il est intimement lié à lui (qu'il le précède ou qu'il le suive) :

> Une **vieille** dame, une maison **neuve**.

341. Sa place – Lorsqu'il est seul, tantôt il précède ou suit obligatoirement le nom, tantôt sa place est indifférente :

> Un **haut** fourneau; un hareng **saur**;
> Une **pitoyable** affaire, une affaire **pitoyable**.

– En **ancien français**, il précédait plutôt le nom; il nous en reste des traces : dans des **composés anciens** et en **toponymie** :

> **Chauve**-souris, **vif**-argent, **basse**-cour, **plate**-bande, **grand**-place... – **Neuf**châtel, **Cler**mont, **Grand**champ, **Haute**ville ...

– Aujourd'hui, il le suit plutôt, et parfois **obligatoirement** :

> Chapeau **pointu**, terrain **carré**, robe **rouge**, fruit **sec** ...

– Parfois sa place est **indifférente** :

> Un vif désir, un désir vif; un étroit sentier, un sentier étroit.

N.B. C'est par un souci de **rythme**, d'**euphonie**, que les poètes placent souvent l'adjectif épithète **devant** le nom :

> Voici l'**étroit** sentier de l'**obscure** vallée (Lamartine).

342. Remarques
a) Il arrive que le **sens** change selon la place de l'adjectif. Avec le sens

propre, il suit le nom; avec le sens **figuré**, il le précède:

> *Un homme grand, un grand homme; un sire triste, un triste sire;*
> *une tête forte, une forte tête; une fille pauvre, une pauvre fille ...*

b) La **mise en relief** de l'épithète peut se faire de façon curieuse:

> *Une drôle de guerre; un fripon de valet; un coquin d'enfant;*
> *une horreur de robe (= une robe horrible) ...*

c) Ne pas oublier l'adjectif épithète non plus d'un nom mais d'un **pronom** avec un **de explétif** (cf § 272):

> *Quelqu'un (rien) **de bon**; quoi **de nouveau**?*

343. Lorsqu'il y a deux ou plusieurs adjectifs épithètes, ils sont **juxtaposés** ou **coordonnés** entre eux, et ils précèdent, suivent ou encadrent le nom qu'ils accompagnent:

> *Un **grand méchant** loup; un ciel **pur** et **serein**;*
> *Une **jeune** servante **vive** et **souriante**.*

b) L'adjectif attribut du sujet

344. Comme le nom (§ 305-306), l'adjectif qualificatif (ou son groupe, ou son équivalent) est attribut du sujet lorsqu'il lui est relié:
● par le verbe **être** ou un **verbe d'état**:

> *Il est **blond**, elle est **brune** – Tu deviens **grand** – C'est **beau**;*

● par **tout verbe** (intransitif, passif, pronominal) équivalent du verbe être ou d'un verbe d'état:

> *Il naquit **boiteux** – Elle fut jugée **coupable** – Je me fais **vieux** –*
> *Tu passes **pour loyal(e)** – Nous fûmes traités **de fous**.*

345. Remarques
a) Le verbe peut être **omis** devant un attribut du sujet:

> *Le temps était gris, mon humeur **maussade**;*

b) L'attribut peut **précéder** verbe et sujet:

> ***Rude** fut notre tâche;*

c) Il précède le sujet réel (infinitif avec **de explétif**, ou subordonnée):

> *Il est **agréable** de flâner – Il est **bon** que tu comprennes.*

c) L'adjectif attribut de l'objet

346. Comme le nom (§ 307-308), l'adjectif qualificatif (ou son groupe, ou son équivalent) est attribut du complément d'objet (c.o.d.) après les verbes

transitifs : croire, juger, sentir, estimer, trouver, rendre, tenir pour, considérer comme, traiter de … :

> *Je juge cette idée **saine** – Je te crois **sincère** – Je trouve cela **beau** – Il me traite **de fou** – Je la tiens **pour fidèle** – On le considère **comme bon**.*

347. Remarques

a) Il y a parfois attribut de l'objet sans c.o.d. exprimé («l'homme») :

> *Le travail rend **joyeux** – La maladie rend **grincheux**;*

b) L'attribut de l'objet peut **précéder** l'objet (nom, infinitif, subordonnée) :

> *Je juge **heureux** les paysans – Je tiens **pour sage** cet avis – Je crus **bon** de partir – Je tiens **pour sûr** que tu te trompes;*

c) On le trouve aussi avec pour c.o.d. le pronom **relatif que** :

> *Voilà l'individu / **que** vous disiez **innocent**;*

d) Quand le c.o.d. est un pronom personnel **réfléchi,** l'attribut du c.o.d. se confond avec un attribut du sujet :

> *Je **me** sens **malade** – Elle **se** montra **très aimable**.*

d) L'adjectif apposé

348. Comme le nom (§ 336-337), l'adjectif qualificatif (ou son groupe, ou son équivalent) est mis en apposition, ou apposé, lorsqu'il est isolé du nom (ou du pronom) auquel il se rapporte :

> ***Gais et joyeux**, ils reprennent le chemin du retour;*
> *Ils reprennent, **gais et joyeux**, le chemin du retour;*
> *Ils reprennent le chemin du retour, **gais et joyeux**.*

349. Remarques

a) L'adjectif apposé donne de la **nervosité** au style :

> *Il trépigne rageusement (= avec rage) → Il trépigne, **rageur**;*

b) Riche de sens, il équivaut à toute une subordonnée :

> ***Loyal**, il est aimé de tous (= parce qu'il est loyal …);*
> ***Malade**, il refusa tout congé (= bien qu'il fût malade …);*
> ***Sérieux**, tu réussirais mieux (= si tu étais sérieux …).*

350. Épithète, attribut (du sujet ou de l'objet), **apposé**, telles sont les 4 fonctions possibles de l'adjectif qualificatif (quel que soit son **degré** (positif, comparatif, superlatif).
Mais n'oublions pas que, par glissement, il peut s'employer :

– comme **nom** (s. ou pl.), avec toutes les **fonctions du nom** :

> *Le beau, le vrai; les vieux, les jeunes ...*

– comme **adverbe de manière**, donc invariable et équivalent d'un complément circonstanciel de manière :

> *Parler bas, chanter faux, travailler dur ...*

– comme **interjection**, donc invariable, et sans rôle grammatical :

> *Hardi! bon! ferme! vrai! parfait! ...*

3 – RAPPELS

a) Les autres adjectifs

351. Pour la fonction des autres adjectifs (pronominaux et numéraux) et de l'article (cf. Morphologie), on dit qu'ils **«se rapportent»** au nom qu'ils introduisent, ou qu'ils le **«déterminent»** :

> *Un garçon, mon garçon, ce garçon, chaque garçon, quel garçon? ...*

Mais n'oublions pas que :

– l'adjectif **possessif tonique** peut être **attribut** (du sujet ou du c.o.d.) (§ 75, c) :

> *Je reste tien, à jamais! – Je fais mienne ton opinion;*

– l'adjectif **interrogatif** peut être **attribut du sujet** (§ 86) :

> *Quel est ton nom? – Dis-moi / quel est ton nom;*

– l'adjectif **numéral ordinal** a les mêmes fonctions que le qualificatif (§ 101, a) :

> *Deuxième en calcul, il est vingtième en grammaire;*

– l'adjectif **numéral** (cardinal ou ordinal) peut s'employer seul, en fonction de **nom** ou de **pronom** (§ 95 et 101, b et c) :

> *Trois sont absents – Le troisième a rattrapé le premier.*

b) Le pronom

352. Qu'il soit personnel, possessif, démonstratif, indéfini, interrogatif ou relatif, le pronom, nous l'avons vu, a toutes les fonctions du nom :

> *Qui (attribut) es-tu? (sujet inversé) – Je (sujet) te (attribution) l'(c.o.d.) avais bien dit.*

N.B. Dans l'analyse d'un pronom, on emploie la formule **«mis pour»**, sauf pour le pronom **relatif**, pour lequel on dit **«ayant pour antécédent»**.

353. Les fonctions du pronom relatif – Nous avons dit (§ 161) que les fonctions du pronom **relatif** étaient les plus délicates à maîtriser :
a) **Qui**, généralement sujet, peut-être c.o.d. (avec antécédent omis) :

> *Choisis / **qui** tu veux – Embrassez / **qui** vous voulez;*

- Précédé d'une préposition, il a d'autres fonctions :

> *Voici l'homme / **à** (de, pour, contre ...) **qui** je parlais;*

- Notons son emploi en **répétition** (sujet de proposition **elliptique**) :

> *Ils portaient / **qui** une pelle, / **qui** une faux, / **qui** un râteau;*

N.B. Attention à **qui** d'emploi **archaïque** = si on) (§ 460, N.B.)

> *Tout vient à point / **qui** (= si on) sait attendre (et non *à qui sait...).*

b) **Que**, généralement c.o.d. peut être aussi **attribut** du sujet :

> *Le marin / **que** tu seras – Le champion / **qu'**il est devenu;*

- ou complément **circonstanciel** :

> *C'était l'année / **que** je fus si malade (que = où : temps);*

- sujet (au **neutre**) dans des expressions **figées** :

> *Advienne / **que** pourra – Fais ce / **que** bon te semble;*

c) **Dont**, le plus subtil, a des fonctions variées :
- Il est souvent **complément de nom** :

> *L'homme / **dont** je connais le fils ... (le fils de dont);*

- mais il peut avoir d'autres fonctions :

> *C'est un succès / **dont** il est fier (c. de l'**adjectif** fier);*
> *Voilà la femme / **dont** il est aimé (c. d'**agent** de verbe passif);*
> *C'est le fouet / **dont** on l'a frappé (c. circ. de **moyen**);*
> *Le mal / **dont** il souffre / est grave (c. circ. de **cause**);*
> *Voici l'homme / **dont** je t'ai parlé (c. circ. de **propos**);*
> *Ces pommes / **dont** j'ai croqué trois (c. du **numéral** trois) ...*

- et notons sa valeur **partitive** en proposition **elliptique** :

> *Ils ont eu six·enfants / **dont** cinq filles.*

c) Le verbe

354. Il nous reste à le situer dans la phrase, en proposition indépendante, principale ou subordonnée (cf. § 356 sq).

d) Les mots invariables

355. Nous avons cerné leurs **rôles** et **fonctions** (§ 238-284), dans la **proposition** (adverbes et prépositions) dans la **phrase** (conjonction de coordination, et de subordination). Quant à l'interjection, qui ne joue aucun rôle grammatical, elle donne du relief à la phrase.

Syntaxe de la phrase

356. De la proposition à la phrase – La langue **parlée**, qui bénéficie des ressources de l'intonation, est souvent rapide, supprime ce qu'elle estime inutile, et use plutôt de la **coordination**, de la **juxtaposition**.

> *Il fait froid, (donc) j'allume (mon feu);*

La langue **écrite**, plus structurée, moins pressée, use volontiers de la **subordination** :

> *Il fait si froid / que j'allume mon feu;*
> *J'allume mon feu / parce qu'il fait froid.*

357. La **phrase** est un ensemble de mots plus ou moins long, plus ou moins complexe, allant d'un point à un autre. Elle peut contenir une ou (plus souvent) plusieurs **propositions**, chacune pouvant être :
– **indépendante**, si elle se suffit à elle-même, si elle ne dépend d'aucune autre proposition, et si aucune autre ne dépend d'elle :

> *Le jour se lève – On ne saurait penser à tout;*

– **principale**, si elle ne dépend d'aucune proposition, mais si elle en commande, elle, une ou plusieurs autres :

> *Je veux / (que tu écoutes) – J'aime les élèves / (qui écoutent);*

– **subordonnée**, si elle dépend d'une autre proposition (principale ou subordonnée), sans laquelle elle ne peut exister :

> *Quand le temps est beau / (je sors faire une promenade).*

358. Remarques
a) Deux propositions de même nature sont dites :
● **coordonnées**, si elles sont liées par une conjonction de coordination :

> *Je suis heureux **car** le temps est beau;*

● **juxtaposées**, si elles se suivent sans lien, avec une simple virgule :

> *Je suis heureux, le temps est beau;*

b) Toute proposition (indépendante, principale, subordonnée) peut être **incomplète**; on dit qu'elle est **elliptique** :

> **Tel père,** / **tel fils** (2 indépendantes juxtaposées, elliptiques);
> **Rien ici** / qui puisse m'intéresser (principale elliptique);
> Je laisse à penser / **quelle joie** (subordonnée elliptique).

A – LA PROPOSITION INDÉPENDANTE

359. La proposition **indépendante** se présente le plus souvent sous l'aspect d'un ensemble plus ou moins riche gravitant autour du mot-roi, le **verbe**, avec son ou ses **sujets**, son ou ses **attributs**, et divers **compléments** :

> Les sanglots longs / Des violons / De l'automne / **Blessent** mon cœur / D'une langueur / Monotone. (Verlaine)

360. Elle peut être très **brève**, réduite à un mot ou groupe (verbe, nom, pronom, adverbe, interjection) :

> Entrez – Ne riez pas – Ralentir – Suffit – Et de rire;
> Jean! – Terrain à vendre;
> Qui de vous? – Moi (dialogue);
> Où? Quand? Comment? – Ici; demain; volontiers (dialogue).
> Ah! – Oh! – Diable! – Hélas!...

361. Elle est souvent **elliptique** aussi :
dans les proverbes, les croquis rapides, l'expression d'émotions fortes, l'exclamation, le style télégraphique :

> A bon chat, bon rat – A père avare, fils prodigue.
> Pas un souffle de vent, pas une voile, rien.
> Nous séparer? Qui? moi? Titus de Bérénice? (Racine).
> Ce monstre d'enfant! – Le beau clair de lune!
> «Accident. Saufs. Rentrons bientôt. Baisers. Paul.»

362. Brève ou longue, complète ou elliptique, la proposition indépendante peut se présenter sous toutes les formes : **affirmative, négative, interrogative, interro-négative, exclamative.** Son verbe, lorsqu'il est exprimé, se rencontre :

● à l'**indicatif** surtout, à n'importe quel temps :

> Il n'**est** pas mon ami; je ne le **recevrai** pas;

● au **conditionnel** :

> N'**aimerais**-tu pas lire ce livre?

- à l'**impératif** :

> ***Entrez***, *madame;* ***ne restez pas*** *debout;*

- au **subjonctif** :

> *Que chacun* ***se taise***; *et que personne ne* ***sorte***;

- à l'**infinitif** (cf. § 225, A) :

> ***Ralentir*** *–* *Que* ***faire***? *– Moi, te* ***trahir***! *– Et tous de* ***rire***.

N.B. Le verbe est dissimulé dans les deux mots **voici, voilà** (§ 252, b).

> *Nous* ***voici*** *près de la maison – Et le* ***voilà*** *en route.*

363. Une indépendante, enclavée comme une **parenthèse** à l'intérieur d'une proposition ou d'une phrase, et ne faisant pas corps avec l'ensemble, est dite **intercalée** ou **incise** :

> *Arrêtons-nous,* ***dit-il***, *car cet asile est sûr (Hugo);*

Son sujet est inversé, sauf dans l'**affirmation d'une opinion** de la personne qui s'exprime :

> *Elle était, /* ***je le sentais bien*** */, profondément troublée.*

B – LA PROPOSITION PRINCIPALE

364. Une proposition indépendante devient **principale** dès qu'on lui adjoint une ou plusieurs **subordonnées** :

> *Je sortirai ce soir / (si j'ai terminé ce travail);*

Sa syntaxe est, évidemment, la même que celle de l'indépendante :
- sa **forme** peut être : affirmative, négative, interrogative, interro-négative, exclamative;
- son **verbe**, lorsqu'il est exprimé, est : à l'indicatif, au conditionnel, à l'impératif, au subjonctif, à l'infinitif, ou dissimulé dans **voici, voilà** :

> *Viendrez-vous dimanche / (si le temps le permet)?*
> *Voici la maison / (où nous passions nos vacances autrefois).*

365. Comme l'indépendante, la principale peut être :
- très **brève**, réduite à un seul mot :

> *Sortons / (puisqu'il fait encore jour);*

- **elliptique** :

> *Quelle joie / (quand nous avons appris ton succès)!*

● et même totalement **omise**, la subordonnée étant seule exprimée :

> *Si je t'aime! – Puisque je te le dis!*

366. Une indépendante **intercalée** ou **incise** devient **principale** intercalée ou incise quand elle est accompagnée d'une subordonnée :

> *Voyons, / **dit-il** / (quand on l'eut averti), / réfléchissons.*

C – LA PROPOSITION SUBORDONNÉE

367. On distingue 4 familles de subordonnées :
1) les **relatives**, qu'on peut appeler **«adjectives»** :

> *J'aime les élèves / **qui écoutent** (= attentifs);*

2) les **complétives**, qui jouent un rôle essentiel de c.o.d., et qu'on peut appeler **«substantives»** :

> *J'espère (quoi?) / **qu'il reviendra vite** (= son retour rapide).*

3) les **circonstancielles**, qui marquent 7 nuances différentes, et qu'on peut appeler **«adverbiales»** :

> *Je suis heureux (pourquoi?) / parce que tu me souris **(cause)**.*

4) les **participiales**, qui équivalent à des circonstancielles :

> *Le café bu (= quand il est bu) **(temps)**, / chacun se lève.*

LA SUBORDONNÉE RELATIVE

368. Elle tire son nom du mot (pronom ou adjectif relatif, cf. § 154 sq et 89-90) qui l'introduit et la relie à son **antécédent** :

> *Voici cet ami / **qui (lequel ami)** m'a bien aidé dans la vie.*

369. Son rôle, ses valeurs – Son rôle premier est de compléter le sens de son antécédent, à la façon d'un adjectif **épithète**; mieux vaut donc parler de subordonnée **adjective** (et même épithète), plutôt que d'utiliser la formule vague de **«complément de l'antécédent»** :

> *Il est des dates / **dont on se souvient** (= mémorables);*

Mais il arrive que l'antécédent soit **omis**, ou que la relative fasse **bloc** avec l'antécédent (surtout le pronom démonstratif); dans ce cas la relative n'est plus adjective, mais **substantive** (avec diverses fonctions de nom) :

> *Qui a bu* (sujet) *boira* – *Aimez* **qui vous aime** (objet);

Parfois même elle peut devenir circonstancielle :

> *Paul,* **qui allait sortir***, a reçu une visite* (temps).
> *Mon père,* **qui se surmène***, a dû prendre un congé* (cause)...

370. Sa place, son aspect – Elle suit, coupe ou précède la proposition dont elle dépend :

> *Je ne connais pas les gens /* **que vous avez reçus hier***;*
> *Cet homme /* **qui travaille beaucoup** */ devrait se ménager;*
> **Qui veut voyager loin** */ ménage sa monture.*

Parfois, par **élégance** de style, on éloigne le relatif de l'antécédent :

> *Une servante entra, / qui apportait la lampe* (Gide).

371. Elle est parfois **elliptique** : avec **dont partitif** et **qui répétitif** (§ 353 c et a), et avec **voici, voilà** :

> *J'ai cinq amis /* **dont toi** *– Ils cultivent /* **qui** *la musique, /* **qui** *le théâtre, /* **qui** *la peinture – L'homme /* **que voici** *(/* **que voilà***) / est un grand chirurgien;*

Elle peut elle-même dépendre d'une proposition **elliptique** :

> **Heureux ceux** */ qui vivent à la campagne!*

N.B. N'oublions pas que le sujet de la relative est souvent **inversé** :

> *Ce toit tranquille / où marchent* **des colombes** (Valéry).

372. Son verbe – Son verbe peut être :
– à l'**indicatif** :

> *J'ai aimé le livre /* **que tu m'as offert***;*

– au **conditionnel** :

> *Voilà un film /* **qui vous plairait** *(qui vous* **aurait plu***);*

– au **subjonctif** :

> *C'est le meilleur ami /* **qui soit***; (que je* **connaisse***; que j'***aie** *jamais* **vu***) – Il n'y a plus ici âme /* **qui vive***;*

– à l'**infinitif** :

> *Il a à peine / de quoi* **vivre** *– Elle a trouvé / à qui* **parler**

LES TROIS COMPLÉTIVES

373. La subordonnée complétive se présente sous trois aspects possibles :
a) Elle est introduite par la **conjonction de subordination** que :

> *Je veux (quoi?) /* **que tu sois heureuse***;*

b) Elle n'a **pas de subordonnant** et elle est **infinitive** :

> J'entends (quoi?) / **les sirènes rugir**;

c) Elle commence par un **mot interrogatif** et elle est **interrogative** :

> Dis-moi (quoi?) / **pourquoi tu ne viens plus nous voir**.

a) La complétive «par que»

374. Ses fonctions – Introduite par la conjonction que, et dite par ellipse **«complétive par que»**, elle joue un rôle essentiel de **c.o.d.** :

> J'exige (quoi?) / **que tu reviennes** (= **ton retour**);

Mais elle peut avoir bien d'autres fonctions :

> Qu'il avoue (=son aveu) / me surprendrait (**sujet**);
> De toi seule dépend / qu'il avoue (**sujet inversé**);
> Il faut (il est indispensable) / qu'il avoue (**sujet réel**);
> Je constate un fait, / que tu deviens paresseux (**apposition**);
> Elle garde l'espoir / qu'il guérira (**c. de nom** = de sa guérison);
> Elle est certaine / qu'il guérira (**c. de l'adjectif** certaine).

375. Sa place – Elle suit, précède ou coupe la proposition dont elle dépend :

> Tu veux / **qu'il revienne** – **Qu'il revienne** / m'étonnerait –
> L'espoir / **qu'il reviendrait un jour** / soutenait notre moral.

Elle peut être précédée d'un **attribut de l'objet** :

> Je tiens **pour sûr** / que tu viendras (= je tiens ta venue pour sûre).

376. Son verbe – Son verbe se met :
– à l'**indicatif** (fait réel, après des verbes de déclaration, d'opinion, de perception, de connaissance...) :

> Je sens / que tu **as compris** cette leçon;

– au **conditionnel**, avec une supposition (exprimée ou non) :

> Je crois / que tu **réussirais** (si tu travaillais mieux);

– au **subjonctif** enfin, après des verbes de volonté, de sentiment, des locutions impersonnelles, des verbes de forme négative ou interrogative :

> Je veux / que tu leur **fasses** une visite;
> Je regrette / qu'elle n'**ait pas compris**;
> Il faut (il se peut) / que nous **partions** demain;
> Je ne pensais pas / que l'on **pût** se tromper à ce point;
> Crois-tu / que je **puisse** triompher de lui?

377. Remarques

a) Après un verbe de **crainte**, le verbe de la complétive par que peut s'accompagner d'un **ne explétif** (et non négatif, cf. § 264, a) :

> *Je crains / qu'elle **ne** parte (= qu'elle parte);*

b) Elle peut être **elliptique** :

> *Il affirme / **que oui**, elle prétend / **que non**;*

ou dépendre d'une proposition **elliptique** :

> ***Quel dommage** / que vous n'ayez pas été là!*

c) Après certains verbes, **que** est remplacé par **à ce que** (ex. consentir, veiller...), **de ce que** (profiter, s'indigner, s'affliger...) :

> *Je consens (consentis) **à ce qu'**il parte (partît).*

N.B. Attention à la **concordance** des temps! (cf. § 414-416).

b) La complétive infinitive

378. Sa fonction, son aspect — Comme la complétive par que, la subordonnée infinitive est une complétive, qui joue un rôle de **c.o.d.** :

> *On entendait (quoi?) / **un enfant sangloter** (= les sanglots d'un enfant).*

Mais à la différence de la complétive par que (§ 374), elle ne peut être que complément d'objet.

On la rencontre après des verbes de **sensation**, des **semi-auxiliaires**, et après **voici** :

> *Je sens / la colère m'envahir — On voit / le ciel s'éclairer — Faites / sortir les élèves — Laissez / s'asseoir ce vieillard — Voici / venir les beaux jours.*

379. Remarques

a) Elle n'est introduite par **aucun mot de subordination** :

> *On entendait / **un chien hurler à la mort**;*

b) Son verbe est surtout à l'infinitif **présent actif** :

> *J'entends (j'entendais, j'entendrai) / le vent **souffler**.*

N.B. L'infinitif **pronominal** peut prendre l'aspect de l'actif (§ 221, d) :

> *Envoie / ces gens **promener** — Faites / **taire** ces bavards.*

380. Son sujet — Le sujet de la complétive infinitive peut être un nom (ou son groupe, ou un équivalent), et il est souvent **inversé** :

> *On entendit / **minuit** sonner (ou sonner **minuit**);*
> *J'ai vu / **quelqu'un** s'enfuir (ou s'enfuir **quelqu'un**);*

Mais quand c'est un pronom **personnel** ou **interrogatif**, ce sujet précède même le verbe qui gouverne la complétive :

> Je **l'**ai vu s'enfuir – **Qui** as-tu vu s'enfuir?

N.B. Attention à la **relative doublée d'une infinitive** dans :

> L'homme / **que tu vois venir** / est un ami.

(**que** est à la fois **c.o.d.** de *vois* et **sujet** de *venir*).

c) La complétive interrogative

381. Ses fonctions – Comme la complétive par que et comme l'infinitive, la complétive interrogative joue un rôle essentiel de **c.o.d.** :

> Dis-moi (quoi?) / **qui tu hantes** (= tes fréquentations);
> Je te dirai (quoi?) / **qui tu es** (= ta personnalité);

Mais elle peut être aussi **sujet**, et même **sujet réel** :

> **Pourquoi tu as fait cela** / ne me regarde pas;
> Il m'a été souvent demandé / **pourquoi tu avais fait cela**;

382. De l'interrogation directe à l'interrogation indirecte – Le français interroge soit **directement** (en indépendante ou principale), soit **indirectement** (en subordonnée complétive) :

> Qui est-elle? – Dites-moi / qui elle est.

● L'interrogation **directe** se fait de 2 façons : **avec un mot interrogatif** (pronom, adjectif, adverbe) ou **sans mot interrogatif** (inversion, gallicisme, simple intonation) :

> Qui es-tu? – Quelle heure est-il? – Comment va-t-il?
> Viendras-tu? – Est-ce que tu viendras? – Tu viendras?

● L'interrogation **indirecte** modifie ainsi ces 6 possibilités :

> J'ignore / qui tu es; quelle heure il est; comment il va; si tu viendras.

383. Remarques

a) L'**inversion** du sujet disparaît le plus souvent (mais pas toujours) :

> Dis-moi / où **tu** vas (mais : Dis-moi / d'où vient **ce bruit**);

b) Le **point d'interrogation** disparaît (sauf avec principale interrogative) :

> Dis-moi / quelle heure il est (mais : Sais-tu / quelle heure il est?);

c) Les 3 nuances **inversion, gallicisme, intonation** donnent le même **adverbe interrogatif si** :

> Je me demande / **si** tu viendras demain;

d) Les mots interrogatifs restent tels quels, sauf les pronoms neutres **que, qu'est-ce qui, qu'est-ce que**, qui deviennent **ce qui** ou **ce que** :

> *Dis-moi / **ce qui** se passe – Dis-moi / **ce que** tu deviens.*

N.B. L'adverbe **comment** peut devenir **comme** :

> *Regarde / **comment** (ou **comme**) je fais.*

384. Son aspect

● La complétive interrogative peut prendre une valeur **exclamative** :

> *Tu sais / combien (comme) j'aime la poésie;*

● Interrogative ou exclamative, elle peut être **elliptique** :

> *Il n'est pas venu; je n'ai pas su / **pourquoi**;*

cela est très fréquent dans l'**interrogation double** :

> *J'ignore / s'il a dit vrai / **ou menti**;*

Elle est parfois seule exprimée, la principale étant **omise** :

> *«Aimez-vous la grande musique? – **Si je l'aime!**»*

385. Son verbe – Son verbe peut être :

● à l'**indicatif**, quand le fait est envisagé dans sa réalité :

> *J'ignore / ce qu'elle **fait** / et comment elle **se nomme**;*

● au **conditionnel**, s'il y a supposition (exprimée ou non) :

> *J'ignore / ce qu'il **ferait (aurait fait, eût fait)** (si...);*

● à l'**infinitif**, quand il exprime délibération, hésitation (cf. § 224) :

> *Il ne sait / que **faire**, / que **dire**, / à qui **se fier**.*

LES SEPT CIRCONSTANCIELLES

a) La circonstancielle de temps (ou temporelle)

386. Son rôle, sa valeur – Elle joue dans la phrase le même rôle qu'un circonstanciel de **temps** (nom ou équivalent) dans la proposition (§ 311) :

> *Il sort / **quand le jour tombe** (= à la tombée du jour);*

Mais au lieu d'exprimer la **date** ou la **durée**, elle précise que l'action de la proposition dont elle dépend a lieu :
a) en même temps qu'elle (nuance **simultanéité**), avec : quand, lorsque, au moment où, pendant que, comme, tandis que, chaque fois que... :

> *Nous sortons volontiers / **quand le temps est beau**;*

b) avant elle (nuance **antériorité**), avec : avant que, en attendant que, jusque, jusqu'à ce que, jusqu'au moment où... :

> *Je passerai te voir / **avant que tu t'en ailles**;*

c) après elle (nuance **postériorité**), avec : après que, dès que, depuis que, aussitôt que, une fois que... :

> *Elle se remet à lire / **dès qu'elle a fini son ménage**.*

N.B. Avec «**une fois**» (pour «une fois que»), elle est **elliptique** :

> ***Une fois dehors** (une fois qu'il est dehors), il respire bien.*

N.B. Avec «**avant que**», on peut avoir un **ne explétif** (et non négatif) :

> *Je t'appellerai / avant que tu **ne** partes (ou que tu partes).*

387. Son verbe – Son verbe peut être :
– à l'**indicatif** (fait réel) :

> *Il sort (sortit, sortira) / après qu'il **a (eut, aura)** fini;*

– au **conditionnel** (fait éventuel) :

> *Cette chambre servirait / quand des amis **viendraient**;*

– au **subjonctif** (attention à la concordance des temps, § 414-416) :

> *Il part (partit) / avant que tu **sois (fusses)** de retour.*

N.B. La temporelle use des temps **surcomposés** (style **familier**) :

> *Quand il **a eu fini**... – Avant qu'il **ait eu fini**...*

N.B. Ne pas oublier que «**après que**» gouverne l'**indicatif** et non le subjonctif :

> *Après que j'ai (j'avais, j'eus, j'aurai...) fini,... (après que = quand).*

b) La circonstancielle de cause (ou causale)

388. Son rôle, sa valeur – Elle joue dans la phrase le même rôle qu'un circonstanciel de **cause** (nom ou équivalent) dans la proposition (§ 312) :

> *Il tremble / **parce qu'il a peur** (= de, à cause de la peur);*

Elle indique pourquoi, pour quelle raison (vraie ou fausse), se fait l'action exprimée par le verbe de la proposition dont elle dépend; elle commence par : comme, puisque, parce que, du fait que, vu que, attendu que, étant donné que, sous prétexte que, du moment que :

> *Tu seras récompensé(e) / **puisque tu as été sage**.*

389. Remarques
a) La proposition dont elle dépend peut être **omise** (dialogue) :

> *«Pourquoi pleure-t-elle? – **Parce qu'elle souffre**»;*

b) Elle peut être **elliptique** :

> *Elle est aimée de tous / **parce que très gentille**;*

et même réduite à **«parce que»** (dans une réponse vive) :

> *«Pourquoi as-tu dit cela? – **Parce que!***

c) Ne pas confondre **«parce que»** et **«par ce que»** (en 3 mots) :

> *Je suis déçu(e) / **parce que** tu mens (causale);*
> *Je suis déçu(e) **par ce** / **que** tu dis (relative).*

390. Son verbe – Son verbe peut être :
– à l'**indicatif** surtout (la cause exprime généralement le réel) :

> *Je te pardonne / **puisque** tu **te repens**;*

– au **conditionnel** (possibilité, éventualité) :

> *Ne fais pas cela / **parce que** tu le **regretterais**;*

– au **subjonctif**, s'il exprime une cause présentée comme fausse, avec non que, non pas que, ce n'est pas que :

> *Ce n'est pas que je **craigne** l'effort...*

N.B. Au **subjonctif**, veiller à la **concordance** des temps (§ 414-416) :

> *Non que je **craigne** (craignisse, aie craint, eusse craint).*

N.B. Avec **non parce que** au lieu de **non que**, on retrouve l'**indicatif** :

> *Ce n'est pas parce que je **crains, craignais, craindrai**...*

c) La circonstancielle de conséquence (ou consécutive)

391. Son rôle, sa valeur – Elle joue dans la phrase le même rôle qu'un complément circonstanciel de **conséquence** (nom ou équivalent) dans la proposition (§ 319) :

> *Il a gagné son match / **si bien que chacun a été surpris***
> *(= il a gagné son match **à la surprise générale**);*

Elle indique le résultat de l'action exprimée par le verbe de la proposition dont elle dépend; elle est introduite par :
– de (telle) sorte que, de (telle) manière que, de (telle) façon que, en sorte que, au point que, si bien que, à telle(s) enseigne(s) que :

> *Elle fut surprise / **si bien qu'**elle sursauta;*

– que, **annoncé** de près ou de loin par : tant, tellement, si, si bien, à tel point, ou par l'adjectif tel(le)(s) :

> *Il est si pâle / **qu'**elle s'inquiète –*
> *Le froid est tel / **que** nous grelottons tous.*

– les locutions **pour que** et **sans que** :

> *Il est trop menteur / **pour qu'**on le croie;*
> *Elle s'éclipsa / **sans qu'**on s'en aperçût.*

392. Remarques

a) Elle peut commencer par le seul **que** (abréviation de **au point que**) :

> *Elle est bavarde / **que** c'en est insupportable;*

b) La locution **si bien que** est tout entière ou non dans la subordonnée :

> *Il travaille dur, / **si bien qu'**il obtient de bons résultats;*
> *Il travaille **si bien / qu'**il obtient de bons résultats.*

c) Avec **sans que**, les puristes déconseillent l'emploi du **ne explétif** :

> *L'affaire se passa / **sans qu'on en sût rien**.*

393. Son verbe – Son verbe peut être :
– à l'**indicatif** (fait réel, résultat atteint) :

> *Le vent souffla si fort / qu'il **déracina** le vieux chêne;*

– au **conditionnel** (possibilité, éventualité) :

> *Le vent souffle si fort / qu'il **déracinerait** notre chêne;*

– au **subjonctif** (fait pensé), avec **pour que**, **sans que**, après une proposition négative ou interrogative, après **faire**, **faire en sorte que** :

> *Le vent souffle trop fort / pour que nous **sortions** – Elle s'en alla /*
> *sans qu'on **pût** la retenir – Il n'est pas si fort / qu'on ne **puisse** lui*
> *résister – Es-tu si paresseux / qu'il **faille** te punir? –*
> *Faites (en sorte) / qu'elle ne **sache** rien.*

N.B. Au subjonctif, veiller à la concordance des temps (§ 414-416) :

> *Nous faisons en sorte / qu'elle ne **voie** rien;*
> *Nous fîmes en sorte / qu'elle ne **vît** rien.*

d) La circonstancielle de but (ou finale)

394. Son rôle, sa valeur – Elle joue dans la phrase le même rôle qu'un circonstanciel de **but** (nom ou équivalent) dans la proposition (§ 319) :

> *Il lutte / **pour que tu sois heureuse** (= pour ton bonheur;)*

Elle indique dans quel dessein, dans quelle intention se fait l'action exprimée par le verbe de la proposition dont elle dépend; elle est introduite par les locutions :
– pour que, afin que, à seule fin que, lorsqu'elle est affirmative :

> *Le chien aboie / **pour qu'on lui ouvre la porte du jardin**;*

– pour que (afin que, à seule fin que) ... ne ... pas, de peur que, de (dans la) crainte que, lorsqu'elle est négative :

> *Le chien aboie /* ***pour que le facteur n'entre pas****.*

395. Remarques

a) Elle peut commencer par la seule conjonction **que** :

> *Approche, /* ***que*** *je t'embrasse;*

b) Avec **de peur que, de (dans la) crainte que,** on peut avoir un **ne explétif** (et non négatif) :

> *Prends un parapluie / de peur (de crainte) qu'il* ***ne*** *pleuve;*

Mais attention, **ne** est **négatif** dans des phrases comme :

> *Sors vite / qu'il* ***ne*** *te rosse;*

c) Ne confondons pas **pour que (final)** avec **pour que (consécutif)** (§ 391) :

> *Je t'aiderai de mon mieux /* ***pour que*** *tu réussisses (but);*
> *Il te suffit d'un effort /* ***pour que*** *tu réussisses (conséq.).*

396. Son verbe

– Il est toujours au **subjonctif**, le but étant une fin voulue, au résultat incertain :

> *Le chat miaulait à la fenêtre / pour qu'on lui* ***ouvrît****.*

N.B. Veiller à la concordance des temps (§ 414-416).

N.B. Les locutions consécutives **«de manière que»**, **«de façon que»** construites avec l'**indicatif** (§ 391), prennent une nette valeur de but quand on les construit avec le **subjonctif** :

> *Il parle net, / de manière qu'on l'****entend*** *bien (conséquence);*
> *Il parle net, / de manière qu'on l'****entende*** *bien (but).*

e) La circonstancielle de concession (ou concessive)

397. Son rôle, sa valeur

– Elle joue dans la phrase le même rôle qu'un complément circonstanciel de **concession** (nom ou équivalent) dans la proposition (§ 319) :

> *Elle se tait /* ***bien qu'elle souffre*** *(= malgré sa douleur);*

On peut l'appeler aussi subordonnée d'opposition (ou oppositive). Elle marque en effet une **opposition** entre un fait principal et un fait subordonné; elle est introduite par :

– bien que, quoique, encore que; si ... que, pour ... que, quelque ... que, tout ... que :

> *Il sort sans manteau /* ***quoique*** *le froid soit vif;*
> ***Si (quelque)*** *vif* ***que*** *soit le froid, / il sort sans manteau.*

– les **relatifs indéfinis** : qui que, quoi que, quel(le)(s) que, où que :

> ***Qui que*** *tu sois... –* ***Quoi que*** *tu fasses... –* ***Où qu'****il aille...*

– les **locutions** : sans que, alors que, au lieu que ... :

> Il travaille dur, / **sans que** cela se voie;
> Il travaille, / **alors que** tu rêvasses.

398. Remarques

a) Elle est souvent **elliptique** :

> **Quoique pauvre**, / cette femme est généreuse;

b) **Malgré que** est incorrect, sauf avec **avoir** pris absolument :

> Il obéira / malgré qu'il en **ait;**

c) Ne pas confondre **si ... que (concessif)** et **si ... que (consécutif)** (où les 2 éléments ne sont pas dans la même proposition) :

> **Si** vif **que** soit le froid, / je sors sans manteau;
> Le froid est **si** vif / **que** je prends un manteau;

d) Ne pas confondre **quoique** (1 mot) et **quoi que** (2 mots) :

> **Quoique** triste, elle sourit – **Quoi que** tu fasses, il partira.

399. Son verbe – Le mode de la concessive est le **subjonctif** :

> Il écoute / sans qu'il y **paraisse** – Quoi que tu **dises,** / je pars;

Mais avec alors que, tandis que, au lieu que, on a l'**indicatif** ou le **conditionnel** :

> Tu flânes / alors que je **m'échine;**
> Tu flânes, / alors que tu **devrais** travailler.

N.B. **« Tout ... que »** hésite entre l'**indicatif** et le **subjonctif** :

> Tout paresseux qu'il **est** (ou qu'il **soit**), il réussit bien.

N.B. Bien veiller à la concordance des temps (§ 414-416).

f) La circonstancielle de condition (ou conditionnelle)

400. Son rôle, sa valeur – Elle joue dans la phrase le même rôle qu'un c. circ. de **condition** (nom ou équivalent) dans la proposition (§ 319) :

> Je le ferais encore / **s'il le fallait** (= en cas de besoin).

Elle indique à quelle condition se fait l'action exprimée par le verbe de la proposition dont elle dépend; elle est introduite :

a) par diverses **locutions** : pourvu que, à condition que, en admettant que; soit que ... soit que, que ... ou que; au cas où (et son verbe est au subjonctif ou au conditionnel) :

> **Qu'il fasse** beau ou qu'il **pleuve**, je partirai;
> Au cas où tu **aurais** un ennui, alerte-nous.

134

b) le plus souvent par la **conjonction si** (et son verbe est à l'indicatif) :

>   S'il **fait** beau / je sortirai – S'il **faisait** beau, je sortirais;

Mais alors, il faut bien distinguer 2 cas, selon que le verbe dont elle dépend est à l'**indicatif** ou au **conditionnel**.

401. 1er cas – Le verbe dont dépend la subordonnée par **si** est à l'**indicatif**; il s'agit d'une simple hypothèse (si = si vraiment); les 2 verbes sont **parallèles**, et au même temps :

>   Si tu **veux**, / tu **peux** – Si tu **as dit** cela, / tu **as eu** tort;

Mais si le verbe principal est au **futur**, le subordonné est au **présent** (à valeur de futur) ou au **passé composé** (à valeur de futur antérieur) :

>   Si je **finis** (si j'**ai fini**) à temps, / nous sortirons ensemble.

N.B. Le verbe principal peut être à l'**impératif** ou au **subjonctif** :

>   Si tu le veux, / **viens** – S'il le veut, / qu'il **vienne**.

402. 2e cas – Le verbe dont dépend la subordonnée par **si** est au **conditionnel** (si = à supposer que); la condition est seulement imaginée (dans le futur, dans le présent, dans le passé) :
– la chose est possible et porte sur l'**avenir**; c'est le **potentiel** :

>   Je serais heureux, / si j'avais un chalet (plus tard);

– la chose n'est pas réalisée **en ce moment**; c'est l'**irréel du présent** :

>   Je serais heureux, / si j'avais un chalet (maintenant);

– la chose n'a pas été réalisée, c'est l'**irréel du passé** :

>   J'aurais été heureux, si j'avais eu un chalet (autrefois).

403. Remarques
a) Les 2 nuances **potentiel** et **irréel du présent** s'expriment exactement de la même façon (mêmes temps, mêmes modes); veiller au contexte :

>   Si j'avais un bateau, je serais heureux (plus tard? maintenant?);

b) L'**irréel du passé**, au contraire, a plusieurs possibilités :

>   S'il n'avait pas été (n'eût pas été) là, je me serais noyé (je me fusse noyé; et même je me noyais cf. § 191, a).

c) Pour éviter la répétition de **si**, on emploie souvent **que** (+ **subj.**) :

>   Si tu venais et **que** je **fusse** absent, attends mon retour;

d) La subordonnée conditionnelle est parfois seule exprimée :

>   Pourvu qu'il réussisse! – Si j'avais su!

e) Elle est parfois **elliptique**, avec des verbes comme : n'était, n'eût été, dussé-je, dût-il, dussions-nous, fût-ce ... :

N'était sa grande timidité, / il réussirait mieux.

g) La circonstancielle de comparaison (ou comparative)

404. Son rôle, sa valeur – Elle joue dans la phrase le même rôle qu'un complément circonstanciel de **comparaison** (nom ou équivalent) dans la proposition (§ 316-317) :

Il vit / comme un ermite (= Il vit en ermite);

Elle exprime, entre le fait principal et le fait subordonné, un rapport :
– de **ressemblance**, avec comme, de même que, ainsi que :

Je l'aime / comme (ainsi qu') elle m'aime;

– d'**égalité**, avec que (annoncé par tel, le même, aussi, si, tant, autant) :

Il est aussi violent / que sa sœur est calme;

– de **différence**, avec que (annoncé par autre, meilleur, pire, plus, plutôt, moins) :

Il est plus (moins) violent / que ne l'est son ami;

– de **proportion**, avec que (annoncé par d'autant plus, d'autant moins, au fur et à mesure, à mesure, selon, suivant) et dans la mesure où :

Elle est d'autant plus triste / qu'elle est souvent malade.

N.B. Pour exprimer la **différence**, on a souvent un **ne explétif** :

*Il est plus (moins) sot / qu'on **ne** le dit.*

405. Son aspect – Elle est souvent **elliptique**, et se confond alors :
– avec le complément **de comparaison** (§ 316-317) :

*Tu es rusé / **comme un renard** – Il est bête / **comme une oie**;*

– avec le complément du **comparatif** (§ 330-331) :

*Tu es plus (aussi, moins) sage / **que ta sœur** – Il a agi plus (aussi, moins) sagement / **que toi** – Elle est plus (aussi, moins) intelligente / **que belle**.*

N.B. Principale et subordonnée peuvent être toutes deux **elliptiques** :

Rien de charmant / comme ce petit bois de pins.

N.B. **Très elliptique**, réduite à **comme** ou **que**, elle **fusionne** avec une **conditionnelle** (comme si, que si), une **temporelle** (comme quand, que quand), un **infinitif de but** (comme pour, que pour) :

*Tu es inquiet / **comme si** un malheur te guettait – Elle est nerveuse / **comme quand** l'orage gronde – Il rase les murs / **comme pour** nous fuir.*

406. Son verbe – Son verbe (du moins lorsqu'il est exprimé!) se met :
– à l'**indicatif,** quand il exprime un fait réel :

> *Ce livre t'a-t-il plu autant que je l'**ai aimé**?*

– au **conditionnel,** quand il exprime une éventualité :

> *Il a réagi comme je l'**aurais** (l'**eusse**) **fait** à sa place;*

– plus rarement au **subjonctif** (avec autant que, pour autant que, et avec le verbe pouvoir) :

> *Elle est brune autant qu'il m'en **souvienne*** (autant que je **sache**)
> *– Il est finaud autant qu'on **puisse** l'être.*

LA SUBORDONNÉE PARTICIPIALE

407. Son aspect – Comme la complétive infinitive, la subordonnée participiale n'est introduite par aucun **mot subordonnant** :

> *Le repas **achevé,** / on se leva de table;*

On la reconnaît à deux signes : son verbe est au **mode participe**, et ce participe a un **sujet propre** (sans autre fonction dans la phrase); ne pas confondre avec le **participe apposé** (cf. § 232) :

> *Le corbeau **(ayant été) trompé,** / le renard ironisa;*
> *Le corbeau, **trompé** par le renard, s'envola tristement.*

408. Son verbe – Son verbe peut être au participe :
– **présent** (actif, passif, pronominal) :

> *L'hiver **se retirant,** / le printemps **revenant,** / la nature revit;*

– **passé** (actif, passif, pronominal; simple ou composé) :

> *L'hiver **s'étant retiré,** / le printemps lui **ayant succédé** (l'hiver*
> ***chassé,** ou **ayant été chassé**), la nature ressuscite.*

N.B. Le **sujet** (nom ou équivalent) peut être **inversé** :

> *Passé **le pont** (= **le pont** passé), / vous tournerez à gauche.*

409. Son rôle, sa valeur – Elle joue le rôle d'une véritable circonstancielle, qui serait comme **elliptique**; mais elle n'a que 4 des 7 nuances circonstancielles : le **temps**, la **cause**, la **concession**, la **condition** :

> *Les parts **(ayant été) faites,** le lion prit la parole (= quand les*
> *parts eurent été faites ...; **temps**);*
> *Votre départ **approchant,** / nous devenons tristes (= parce que*
> *votre départ approche ...; **cause**);*
> *Son mal **empirant,** / elle espérait encore (= bien que son mal*
> *empirât ...; **concession**);*

> *Nous irons vous voir, **le temps le permettant** (= si le temps le permet ...; **condition**).*

N.B. La nuance temporelle peut s'accompagner d'un **«une fois» explétif** :

> *Les parts **une fois** faites ... – L'hiver **une fois** achevé ...*

N.B. Les deux nuances de **temps** et de **cause** sont souvent intimement liées, et inséparables :

> ***Lui parti**, elle retrouva le calme (**temps** + **cause** = quand il fut parti, et parce qu'il était parti ...).*

410. Certaines participiales sont devenues des expressions **figées** :

> *Le cas échéant; séance tenante; toutes affaires cessantes; cela dit; cela fait; cela étant; ce nonobstant; Dieu aidant; moi vivant; dimanches exceptés; toutes choses égales d'ailleurs (cf. § 233, a).*

N.B. **«L'été durant»** est une vraie participiale (= pendant que dure l'été); c'est par **glissement** que **«durant»** est senti comme **préposition**, et qu'on obtient, par inversion, «durant l'été».

Grammaire et langue

A – LA CONCORDANCE DES TEMPS

411. Dans l'étude des diverses propositions, nous avons, chemin faisant, signalé l'existence de ce problème; résumons-le ici :

a) Verbe subordonné à l'indicatif

412. Lorsque le verbe **principal** est au **présent de l'indicatif**, le verbe subordonné (par exemple, en complétive) prend le temps de l'indicatif voulu par le sens, selon qu'on veut exprimer le présent, le passé ou l'avenir, comme dans la simple **indépendante** à l'indicatif. Comparons :

> *Il lit, il lisait, il a lu, il lira, il aura lu ...*
> *Je sais / qu'il lit, lisait, a lu, lira, aura lu.*

413. Lorsque le verbe principal est à un temps du **passé de l'indicatif,** le verbe subordonné (par exemple, en complétive) se met :
– à l'**imparfait**, pour exprimer la **simultanéité** :

> *Je savais (je sus, j'ai su, j'avais su) / qu'il **lisait**;*

– au **plus-que-parfait**, pour exprimer l'**antériorité** :

> *Je savais / qu'il **avait lu** (ce livre);*

– au **futur du passé**, pour exprimer la **postériorité** :

> *Je savais / qu'il **lirait** (ce livre);*

– au **futur antérieur du passé**, pour exprimer un **futur antérieur** :

> *Je savais / qu'il **aurait lu** (ce livre).*

N.B. On peut garder le **présent** au lieu de l'imparfait (pour exprimer une **vérité** générale) après le verbe principal au passé :

> *Tu savais bien / que la paresse **est** un vilain défaut.*

b) Verbe subordonné au subjonctif

414. Lorsque le verbe principal est au **présent** (ou au **futur**) **de l'indicatif**, le verbe subordonné au **subjonctif** (par exemple en complétive) se met :
– au **présent**, pour exprimer le présent ou l'avenir par rapport au verbe principal :

> *Je souhaite / qu'il **lise** ce livre (maintenant, plus tard);*

– au **passé**, pour exprimer une **antériorité** :

> *Je souhaite / qu'il **ait lu** ce livre (hier, auparavant).*

415. Lorsque le verbe principal est à un temps du **passé de l'indicatif**, le verbe subordonné au subjonctif se met :
– à l'**imparfait**, pour exprimer le présent ou l'avenir par rapport au verbe principal :

> *Je souhaitais (hier) / qu'il **lût** ce livre (hier, ou plus tard);*

– au **plus-que-parfait**, pour exprimer une **antériorité** :

> *Je souhaitais (hier) / qu'il **eût lu** ce livre (avant-hier).*

416. Remarques

a) Cette règle, respectée par les classiques et les puristes, s'appelle (scolairement parlant) **«la règle 1-3, 2-4»**, le **présent** (1) faisant équipe avec le **passé** (3), l'**imparfait** (2) avec le **plus-que-parfait** (4), selon le schéma suivant :

> Je souhaite ⎧ qu'il **lise**   *(présent : 1)*
> Je souhaitais ⎨ qu'il **lût**   *(imparfait : 2)*
>   ⎩ qu'il **ait lu**   *(passé : 3)*
>   qu'il **eût lu**   *(plus-que-parfait : 4)*

Cette règle régit aussi, bien sûr, les **relatives** et les **circonstancielles** dont le verbe est au **subjonctif** :

> *Je cherche un élève / qui **comprenne** (ou **ait compris**) 1-3;*
> *Je cherchais un élève / qui **comprît** (ou **eût compris**) 2-4;*
> *Je te pardonne / bien que tu **mentes** (ou **aies menti**) 1-3;*
> *Je te pardonnai / bien que tu **mentisses** (ou **eusses menti**) 2-4;*

b) Cette sacro-sainte règle n'est plus guère respectée, l'**imparfait** frôlant souvent le cocasse, le ridicule :

> *Il fallait / que nous **sussions** nos leçons (!) ...*

et entraînant dans sa perte le **plus-que-parfait**; si bien que, au grand désespoir des puristes, la règle 1-3 tend à se généraliser :

> *Il fallait / que nous **sachions** nos leçons (!)*

Pour sauver la face, mieux vaut dire (et écrire), plus sobrement :

> *Il nous fallait savoir nos leçons.*

B – LES TROIS STYLES (OU DISCOURS)

417. Paroles et **pensées** s'expriment de 3 façons différentes :
1) soit en style (ou discours) **direct**, avec guillemets :

> *«Que vous êtes joli! que vous me semblez beau!» (La Fontaine);*

2) soit en style (ou discours) **indirect**, avec subordonnée complétive (par que, ou interrogative) :

> *Les femmes étaient belles et j'ai demandé à Marie / si elle le remarquait. Elle m'a dit / que oui / et / qu'elle me comprenait. (Camus).*

3) soit en style (ou discours) **indirect libre** (ou **semi-direct**), avec omission de la principale et du subordonnant, style plus léger, plus alerte que le style indirect, et très fréquent chez les conteurs :

> *Les oiseaux se moquèrent d'elle;*
> *Ils trouvaient aux champs trop de quoi (La Fontaine)*
> *(sous-entendu : ils disaient / qu' ...).*

418. Remarque – Le passage du style direct aux styles **indirect** ou **semi-direct** entraîne des changements de **modes,** de **temps,** de **personnes :**

> *«**Tais-toi**» (impératif présent, 2ᵉ p. s.) –*
> *Je lui dis / qu'il (qu'elle) **se taise** (ou de se taire) (subj. présent, 3ᵉ p. m. ou f. s.; ou infinitif présent);*
> *«**Je vous pardonne**» (indic. prés. 1ʳᵉ p. s. + 2ᵉ p. pl. ou pl. de politesse) – Il (elle) déclara / qu'il (elle) lui (leur) **pardonnait** (indic. impft. 3ᵉ p. m. ou f. s. + 3ᵉ p. s. ou pl. m. ou f.).*

C – USURE ET GALLICISMES

419. La langue est un **outil** qui sert beaucoup, et qui **s'use**; et certains mots, certaines tournures, se sont **atténués** au point qu'on ne saurait analyser, grammaticalement, des mots comme **y, en, ce,** dans :

> *Il **y** a, il s'**y** connaît, vous n'**y** êtes pas;*
> *Je m'**en** vais, on s'**en** tient là, il n'**en** peut mais;*
> *Vouloir **c'**est pouvoir, qu'est-**ce** que tu veux?*

Ces mots usés, ces tournures usées, s'appellent des **gallicismes** (emplois propres à la langue française; de «gallicus» = gaulois, d'où «français»).

420. Gallicismes d'expression – On appelle gallicismes d'expression (ou de vocabulaire) des **locutions usées**, éloignées du sens premier :

> *Un beau jour; de bon matin; se mettre en quatre; s'en laver les mains; être sur les dents; monter sur ses grands chevaux; jouer des coudes; avoir le bras long ...*

421. Gallicismes de syntaxe – On appelle gallicismes de syntaxe (ou de construction) des groupes qui relèvent plus de la **grammaire** que du vocabulaire; comme par exemple :

a) des mots ou groupes dont la valeur initiale s'est **atténuée** :

● **il** neutre, **en, y** atténués, **c'est, c'est ... qui** (ou **que**) :

> *Il y a du soleil – Tu t'y connais – Il s'en va –*
> *C'est Paul (qui arrive) – C'est demain que je pars ...*

● les **locutions interrogatives renforcées** : est-ce que, qui est-ce qui (ou que) ...; les **locutions indéfinies** : n'importe qui (quoi, quel, où, quand), je ne sais qui (quoi, quel, où, quand) :

> *Est-ce que tu viens? – Qu'est-ce que tu fais? – Tu dis n'importe quoi – Elle est partie je ne sais où ...*

● les **locutions verbales** et les **semi-auxiliaires** :

> *Rendre compte; tenir tête; avoir l'air; prendre garde ...*
> *Il va partir; elle vient de sortir; je me prends à rêver ...*

b) des expressions issues d'**ellipses** de toutes sortes :

> *Faire des siennes; y mettre du sien; l'échapper belle; la bailler belle; il fait beau (bon, froid, chaud, sec ...) ...*

c) des mots **explétifs** (en trop, inutiles, sans rôle grammatical) :

● le **pronom** (personnel, démonstratif) :

> *Ton père est-**il** là? – Partir **c'**est mourir un peu;*

● la préposition, l'adverbe **ne**, les conjonctions **que** et **comme** :

> *La ville **de** Paris; passer **pour** sot; aimer **à** rire ...*
> *Je crains qu'il **ne** parte; partons avant qu'elle **ne** rentre ...*
> ***Que** si! – Bêtise **que** cela! – On le considéra **comme** fou ...*

● **tout** devant un gérondif; **une fois** dans une participiale, une temporelle elliptique, un participe apposé :

> *Elle rêve **tout** en se promenant – Il réfléchit **tout** en roulant.*
> *Son mari **une fois** parti, elle resta seule et mélancolique – **Une fois** à l'abri, / nous respirâmes – **Une fois** partie, / elle se sentit soulagée.*

142

D – RECHERCHE DE L'EXPRESSIVITÉ

422. Si la langue est un outil qui s'use, c'est aussi, et surtout, un moyen de **communication**, entre le locuteur et son auditeur, entre l'auteur et son lecteur. Et l'être qui parle, ou qui écrit, cherche généralement à capter l'intérêt de son interlocuteur, direct ou indirect. D'où un souci, à peu près constant, de **recherche d'expressivité**, marqué par divers procédés déjà rencontrés :

– **inversion** du sujet, **lancement en tête** d'attribut ou de complément :

> *Soit un triangle ABC – Survient un bolide – Est-il bête!*
> *Cruelle fut notre déception – Quel temps nous avons eu! ...*

– **mise en relief** de l'épithète :

> *Un diable d'enfant; une horreur de robe; un chameau de chef ...*

– pronom de **reprise**, ou, inversement, pronom d'**annonce** :

> *Ce professeur, je le déteste – Je le déteste, ce professeur;*

– **déplacement** de mots, par souci d'élégance (en poésie) :

> *Il était, quoique riche, à la justice enclin (Hugo);*

– **bouleversements** syntaxiques (expression d'émotions fortes ...)

> *Nous séparer? Qui? Moi? Titus de Bérénice? (Racine);*

– **insistance** (obtenue par divers moyens : pronoms renforcés, répétitions, accumulations, gallicismes et pléonasmes voulus, double négation ...) :

> *Lui, lui-même – Les voilà, les voilà! – Non, non et non! –*
> *Femmes, moine, vieillards, tout était descendu (La Fontaine) –*
> *Je l'ai vu, dis-je, vu, de mes propres yeux vu,*
> *Ce qui s'appelle vu (Molière) –*
> *Je ne la déteste pas (= je l'aime) –*
> *Tu n'es pas sans le savoir (= tu le sais bien) ...*

423. Pour couronner le tout, il faudrait se pencher sur les ressources de la **rhétorique** et ses nombreuses **figures de style**, qui donnent du relief à la langue :

– figures de **grammaire :** anacoluthe, ellipse, inversion ...;
– figures de **vocabulaire** : comparaison, image, antiphrase, euphémisme, litote, périphrase, alliance de mots, chiasme, allitération ...;
– figures de **raisonnement** : réticence, correction, prétérition, parallèle, prosopopée ...;
– figures de **passion** : apostrophe, exclamation, interrogation, obsécration, ironie ...

Nous renvoyons le lecteur curieux de ces problèmes aux dictionnaires et aux ouvrages spécialisés.

424. La langue, parlée ou écrite, possède donc des **ressources variées** pour capter l'attention du lecteur ou de l'auditeur; elle peut user :
– de tous les **tons**, du plus désespéré au plus drôle, en passant par toutes les subtilités de la sensibilité, de l'esprit, de l'humour;
– de tous les **rythmes**, du plus calme, du plus serein, du plus majestueux, au plus rapide, au plus haché, au plus nerveux;
– de tous les **styles**, enfin, du plus soigné et raffiné au plus familier et même au plus argotique (cf. § 21).

E – DE LA CORRECTION

425. Sans vouloir jouer les grands écrivains, chacun de nous se doit de **respecter**, du mieux qu'il peut, cet outil remarquable qui s'appelle la langue française. Si la langue parlée peut se permettre des **négligences**, il n'en est pas de même de la langue écrite qui nécessite plus de soin, d'application, de **correction**.
Orthographe, vocabulaire, morphologie et syntaxe nous tendent constamment des pièges; n'hésitons pas à consulter un dictionnaire ou une grammaire.

426. De l'orthographe
Il faut la respecter; c'est une question d'honnêteté, de politesse à l'égard de soi-même, et surtout de son lecteur.
Bien respecter l'**accentuation**, trop souvent négligée et anarchique.
Bien respecter l'emploi correct de la **majuscule**.
Bien respecter enfin la **ponctuation**, qui est, comme dit A. Dauzat, «une politesse à l'égard du lecteur», ou encore, comme dit F. Gregh, «la respiration de la phrase».

427. Du vocabulaire
Il faut s'en méfier! On est sans cesse à la merci d'un **faux sens**, d'un **contresens**, d'un **non-sens** (admirons, au passage, l'orthographe capricieuse de ces trois mots!), d'un **barbarisme** affreux, d'un **néologisme** négligé, du **«franglais»** envahissant. Bornons-nous ici à quelques exemples pour mettre en garde, et piquer la curiosité :

a) Cernons bien le **sens exact** des mots suivants :

> Achalandé, ambiance, avatar, avérer, conséquent, dilemme, émérite, ingambe, miniature, péripétie, périple, sidéré ...

(ne pas hésiter à consulter un dictionnaire, étymologique si possible.)

b) **Ne confondons pas** (par exemple) :

> Achalandé et approvisionné; acquis et acquit; balade et bal-
> lade; censé et sensé; collision et collusion; éminent et immi-
> nent; impropre et malpropre; médire et calomnier ...
> (en) plein champ et (le) plain-chant; rabattre (le caquet) et
> rebattre (les oreilles), cahoteux et chaotique ...

c) Disons et écrivons :

> Amener (un être vivant), mais apporter (une chose); un soi-
> disant champion, mais un prétendu exploit; agir de concert,
> mais naviguer de conserve; monter le coup à quelqu'un
> (= l'abuser), mais se monter le cou (= se hausser du «col») ...

d) Dites bien, et écrivez bien :

> **Saupoudrer,** et non *soupoudrer; **rémunération**, et non *rénu-
> mération; **se fonder sur**, et non *se baser sur; une **taie**
> (et non une *tête) d'oreiller; de **plain-pied**, et non de *plein
> pied; **excusez-moi**, et non *je m'excuse; **recouvrer** (et non
> *retrouver) la santé; occasion **à saisir** (et non *à profiter); une
> rue **piétonnière** (et non *piétonne) ...

e) Évitons les **négligences** de toutes sortes :

> Le combien sommes-nous? (pour «quel jour sommes-nous?»);
> qu'est ce qu'elle est lourde! (pour «comme elle est lourde!»);
> quand est-ce que tu viens? (pour «quand viens-tu?»)...

et les **horreurs** comme :

> *S'avérer faux (dans a-vér-er, il y a vér-ité!); *vous n'êtes pas
> sans ignorer (pour vous n'êtes pas sans savoir; cf. § 264)

N.B. Attention à **etc** (= et cetera : et les autres choses) qu'on ne peut employer qu'après une
énumération de **choses** (pour les **êtres vivants**, il vaut mieux dire **«et autres»**).

f) Attention, enfin, aux **pléonasmes** stupides :

> Monter en haut, descendre en bas, sortir dehors; au grand
> maximum; faux prétexte; emmener avec soi; les orteils des
> pieds; hémorragie de sang; paroles verbales; saupoudrer de sel;
> panacée universelle; réunir ensemble; but final; car en effet;
> prévoir d'avance; assez satisfaisant ...

428. De la morphologie et de la syntaxe

a) Maîtrisons bien la nature et la forme des 9 **espèces** de mots; sachons
bien distinguer, par exemple :

> ce et se; ces, ses, c'est, sait, s'est; sans, c'en, s'en, sens; ça, çà,
> ç'a; si et s'y; ni et n'y; qui et qu'y ...

b) Respectons bien les **accords** essentiels (cf. Index et Appendices);

c) Veillons bien aux formes verbales, sources d'erreurs fréquentes :

● Ne confondons pas les **verbes** :

> *Je vous **saurais** gré (v. savoir) (et non *serais gré!);*
> *Il **vaudrait** mieux (v. valoir) (et non *il faudrait mieux!) ...*

N.B. Noter la différence de sens entre :

> *Je vous prie de bien vouloir ... et Je vous prie de vouloir bien.*

Bien vouloir contient une nuance de respect, de sollicitation;
Vouloir bien exprime une nuance d'ordre donné, plus ou moins net.

● Ne confondons pas les **temps** :

> *J'allais et j'allai; j'irai et j'irais;*

● Ne confondons pas les **modes** :

> *Que l'an neuf voie (et non *voit) vos espoirs comblés!*

N.B. Rappel – **«Après que»** est suivi de l'**indicatif** et non du subjonctif :

> *Après qu'il a (avait, eut, aura) terminé (cf. § 387 N.B.)*

● Attention à la «terrible» concordance des temps (cf. § 411-416).

d) Attention à des **constructions fautives** (et fréquentes!) comme :

> *entrer et sortir du jardin (entrer dans le jardin et en sortir);*
> *s'accaparer d'une chose (accaparer une chose); se rappeler*
> *de quelqu'un, *de quelque chose (on se rappelle quelqu'un,*
> *quelque chose; cf. § 299); dis-moi *quelle heure est-il (dis-moi*
> *quelle heure il est); j'ai eu *très plaisir à vous rencontrer (j'ai eu*
> *grand plaisir ... cf. § 249, b) ...*

429. Rappel. Tout au long de ce Guide de Grammaire, nous avons, à l'occasion, attiré l'attention sur la **«correction»**, par exemple pour :
● l'emploi correct du **gérondif** (§ 237);
● l'emploi correct de la **préposition** (§ 273), etc.
Pour le détail, consulter l'Index à «correction».

APPENDICES

Verbe et conjugaison

Accords grammaticaux

Confusions à éviter

Prononciation

Verbe et conjugaison

A – LA CONJUGAISON

430. Pour le détail de la **conjugaison** et les tableaux concernant les 3 groupes, nous renvoyons le lecteur au «Guide de conjugaison» de Burney et Bénac, dans la même collection Hachette.

Bornons-nous ici à un tableau récapitulatif du verbe **laver** (1er groupe) aux 3 voix, et aux 7 modes :

	Actif	Passif		Pronominal
● Indicatif				
Présent	je lave	je suis	lavé(e)	je me lave
Imparfait	je lavais	j'étais	lavé(e)	je me lavais
Passé simple	je lavai	je fus	lavé(e)	je me lavai
P. composé	j'ai lavé	j'ai été	lavé(e)	je me suis lavé(e)
P. antérieur	j'eus lavé	j'eus été	lavé(e)	je me fus lavé(e)
Pl.-q.-parfait	j'avais lavé	j'avais été	lavé(e)	je m'étais lavé(e)
Futur simple	je laverai	je serai	lavé(e)	je me laverai
Fut. antérieur	j'aurai lavé	j'aurai été	lavé(e)	je me serai lavé(e)
Fut. du passé	je laverais	je serais	lavé(e)	je me laverais
F. a. du passé	j'aurais lavé	j'aurais été	lavé(e)	je me serais lavé(e)
● Conditionnel				
Présent	je laverais	je serais	lavé(e)	je me laverais
Passé 1re forme	j'aurais lavé	j'aurais été	lavé(e)	je me serais lavé(e)
Passé 2e forme	j'eusse lavé	j'eusse été	lavé(e)	je me fusse lavé(e)
● Impératif				
Présent	lave	sois lavé(e)		lave-toi
Passé	aie lavé	(inusité)		(inusité)
● Subjonctif				
Présent	que je lave	que je sois	lavé(e)	que je me lave
Imparfait	que je lavasse	que je fusse	lavé(e)	que je me lavasse
Passé	que j'aie lavé	que j'aie été	lavé(e)	que je me sois lavé(e)
Pl.-q.-parfait	que j'eusse lavé	que j'eusse été	lavé(e)	que je me fusse lavé(e)

- **Infinitif**

Présent	*laver*	*être lavé(e)(s)*	*se laver*
Passé	*avoir lavé*	*avoir été lavé(e)(s)*	*s'être lavé(e)(s)*

- **Participe**

Présent	*lavant*	*étant lavé(e)(s)*	*se lavant*
Passé	*ayant lavé*	*ayant été lavé(e)(s)* *ou lavé(e)(s)*	*s'étant lavé(e)(s)*

- **Gérondif**

Présent	*en lavant*	*en étant lavé(e)(s)*	*en se lavant*

N.B. Rappelons (cf. § 203), que l'indicatif est riche non de 8, mais de 10 temps, et même de 14 temps avec ses temps **surcomposés**, et même de **18** avec les semi-auxiliaires **aller** et **venir** :

Passé surc.	*j'ai eu lavé*	*j'ai eu été lavé(e)*	*je me suis eu lavé(e)*
Pl.-q. pft. surc.	*j'avais eu lavé*	*j'avais eu été lavé(e)*	*je m'étais eu lavé(e)*
Fut. ant. surc.	*j'aurai eu lavé*	*j'aurai eu été lavé(e)*	*je me serai eu lavé(e)*
F. a. du pas. surc.	*j'aurais eu lavé*	*j'aurais eu été lavé(e)*	*je me serais eu lavé(e)*
Futur prochain	*je vais laver*	*je vais être lavé(e)*	*je vais me laver*
F. pr. du passé	*j'allais laver*	*j'allais être lavé(e)*	*j'allais me laver*
Passé récent	*je viens de laver*	*je viens d'être lavé(e)*	*je viens de me laver*
P. réc. du passé	*je venais de laver*	*je venais d'être lavé(e)*	*je venais de me laver*

431. Remarques sur les groupes

a) Le **1er groupe**, tout régulier qu'il est, a ses curiosités :

- verbes en -cer, -ger, -yer (-ayer, -oyer, -uyer, -eyer), -ier ou illier, -gner, -eler, -eter (voir Guide de conjugaison, passim) :

> *Lancer, manger, balayer, broyer, essuyer, grasseyer, copier, fouiller, cogner, appeler, jeter, acheter, semer, espérer ...*

- **interpeller** et **regretter**, qui gardent partout leur double consonne :

> *Nous interpellons, nous regrettons;*

- **aller** et **envoyer**, qui sont irréguliers :

> *Je vais, j'allais, j'irai; j'envoie, j'enverrai.*

N.B. Pour «s'en aller» aux temps composés, voir § 435, h.

b) Le **2e groupe**, remarquable par sa syllabe intercalaire **-iss-** à certaines formes, indique un **commencement** d'action :

> *Nous blanch-**iss**-ons; nous vieill-**iss**-ons ...*

- attention à **haïr** et à son **tréma** :

> *Je hais, nous haïssons;*

- attention à **fleurir** qui au sens figuré prend le radical **flor-** :

> *Il **flor**-iss-ait à cette époque; cf. **flor**-iss-ant;*

• attention à **maudire** (composé de dire, 3ᵉ gr.), **asservir** (de servir, 3ᵉ gr.), **répartir** (de partir, 3ᵉ gr.), qui sont passés au 2ᵉ groupe :

> *Nous maud-iss-ons, asserv-iss-ons, répart-iss-ons;*

• attention à **ressortir** : au sens de «sortir de nouveau», il est du 3ᵉ gr. (comme sortir); au sens de «appartenir à, être du ressort de», il est du 2ᵉ gr. :

> *Il ressort de la maison – Cela ressortit au juge des enfants;*

c) Quant au **3ᵉ groupe** (verbes en -ir, -oir, -re), il ne contient guère que des verbes **irréguliers** (voir «Guide de conjugaison»).

432. Remarques sur les tours (ou formes)

a) Au tour **négatif**, ne pas oublier le *n'* devant voyelle :

> *On **n'**entend rien – On **n'**entend pas bien ...*

b) Au tour **interrogatif**, le gallicisme «est-ce que» remplace souvent l'inversion du sujet, surtout à la 1ʳᵉ p. sing. de l'indic. présent :

> *Est-ce que je rêve?* (plutôt que *rêvé-je?*);

remplacement obligatoire aux 2ᵉ et 3ᵉ gr. (pour raisons d'**euphonie**) :

> *Est-ce que je rougis? Est-ce que je pars?* (*rougis-je? *pars-je?*);

(sauf pour quelques verbes, dont **avoir** et **être**) :

> *Ai-je? suis-je? fais-je? vais-je? vois-je? dois-je? dis-je? puis-je?*
> (mais non **peux-je?*)

N.B. Notons **puissé-je** (= que je puisse) et **dussé-je** (que je dusse).

433. Pour éviter les **barbarismes verbaux** hélas fréquents, il faut :
a) bien maîtriser les **passés simples** :

1ᵉʳ gr.	2ᵉ gr.		3ᵉ gr.	
-ai	-is	-is	-us	-ins
-as	-is	-is	-us	-ins
-a	-it	-it	-ut	-int
-âmes	-îmes	-îmes	-ûmes	-înmes
-âtes	-îtes	-îtes	-ûtes	-întes
-èrent	-irent	-irent	-urent	-inrent
je chantai	*je rougis*	*je servis*	*je connus*	*je (re)tins, je (re)vins*

b) bien maîtriser les **futurs simples** :

> *Il payera (ou paiera), courra, pourra, verra, pourvoira, enverra, cueillera, acquerra, conclura, bouillira ...*

150

c) bien maîtriser les **subjonctifs présents,** qui ont tous les mêmes terminaisons (-e, -es, -e, -ions, -iez, -ent) aux 3 groupes :

> *Qu'il chante, rougisse, serve, coure, voie, conclue, bouille ...*

sauf, curieusement, **avoir** et **être,** qui ne suivent pas la règle :

> *Que j'aie, que tu aies, qu'il ait (-e, -es, -t, et non *e);*
> *Que je sois, que tu sois, qu'il soit (-s, -s, -t);*

et qui aux 1re et 2e p. pl. n'**ont pas un -i** après leur *-y-* :

> *Que nous ayons (soyons), que vous ayez (soyez);*

d) bien maîtriser les **subjonctifs imparfaits** calqués sur l'indicatif passé simple, selon le tableau suivant :

1er groupe		2e groupe				3e groupe			
-ai	-asse	-is	-isse	-is	-isse	-us	-usse	-ins	-insse
-as	-asses	-is	-isses	-is	-isses	-us	-usses	-ins	-insses
-a	-ât	-it	-ît	-it	-ît	-ut	-ût	-int	-înt
-âmes	-assions	-îmes	-issions	-îmes	-issions	-ûmes	-ussions	-înmes	-inssions
-âtes	-assiez	-îtes	-issiez	-îtes	-issiez	-ûtes	-ussiez	-întes	-inssiez
-èrent	-assent	-irent	-issent	-irent	-issent	-urent	-ussent	-inrent	-inssent

e) bien maîtriser les **impératifs présents**; à la 2e p. sing., on distingue les verbes en *-e* (1er gr.) et les verbes en *-s* (2e et 3e gr.) :

> *Chante, saute; bondis, saisis; pars, cours, bois, tiens ...*

Exceptions : Certains verbes du 3e gr. sont en *-e* (et non en *-s*) :

> *cueille, accueille, recueille, couvre, découvre, recouvre, ouvre, rouvre, entrouvre, assaille, offre, souffre, tressaille* (et *va*);

et sont calqués sur le subjonctif présent :

> *aie, sois, sache, veuille;*

f) bien maîtriser, enfin, le **participe passé;**
• attention à sa **lettre finale** (penser au **féminin**!) :

> *1er gr. **-é** : aimé (aimée);*
> *2e gr. **-i** : fini (finie)* (exception : *maudit, maudite*);
> *3e gr. **-i, -u, -s, -t** : servi (servie); reçu (reçue); mis (mise); fait (faite)*
> (exception : *né, née*).

• attention à : **dû,** *due, dus, dues* (devoir); **crû,** *crue, crus, crues* (croître); **mû,** *mue, mus, mues* (mouvoir) : seul le masc. sing. prend l'accent circonflexe;
• attention à : **dissoudre,** qui a *dissous, dissoute* (et *dissolu* comme adjectif); **absoudre,** qui a *absous, absoute* (et *absolu* comme adjectif); **résoudre,** qui a *résolu, résolue* (plus fréquents que *résous, résoute*);
• attention au p.p. de **dire** qui se soude à l'article défini et à l'adverbe **sus** :

> *Ledit, ladite, lesdits, lesdites; le susdit, la susdite ...*

B – LES VERBES PRONOMINAUX

434. Le verbe pronominal (nous l'avons dit § 167) a 4 sens possibles :
– le sens **réfléchi**, où le pronom personnel complément représente le sujet :

> *Je me lave; tu te blesses; il se trahit ...*

– le sens **réciproque**, où le pronom personnel complément représente 2 ou plusieurs êtres (dont le sujet); le verbe est au pluriel :

> *Nous nous aimons; vous vous souriez; ils se détestent (mutuellement) ...*

– le sens **passif**, où la voix pronominale est plus élégante que la voix passive :

> *Les fruits se vendent cher cette année (= sont vendus cher ...);*

– le sens **vague**, où l'on ne perçoit aucune des 3 nuances précédentes (faciles à cerner), et où l'on trouve 2 sortes de verbes :
a) ceux qui n'existent plus (actuellement) qu'à la voix pronominale et qu'on peut appeler **«essentiellement pronominaux»** :

> *(1ᵉʳ gr.) s'absenter, s'accouder, s'adonner, s'agenouiller, s'arroger, s'écrier, s'écrouler, s'esclaffer, s'exclamer, s'évader, s'extasier, s'immiscer, s'insurger, se méfier ...*
> *(2ᵉ gr.) s'accroupir, se blottir, s'évanouir ...*
> *(3ᵉ gr.) s'abstenir, se dédire, s'enfuir, s'enquérir, s'éprendre, se méprendre, se repentir, se souvenir ...*

b) ceux qui existent aussi à la voix active, et dont le pronom personnel complément a une valeur très atténuée; on peut les appeler **«non réfléchis»** :

> *s'enfuir (= fuir), se mourir (= mourir) ...*

N.B. Ces pronominaux de sens vague sont de simples équivalents de verbes **actifs** ordinaires :

> *s'apercevoir de = constater; s'emparer de = prendre; s'en aller = partir; se faire vieux = devenir vieux; se trouver là = être là; se servir de = utiliser ...*

435. Remarques
a) Un même verbe peut avoir les 4 nuances, les 4 sens :

> *Il **s'aperçoit** dans la glace (réfléchi) – Ils **s'aperçoivent** dans la rue (réciproque) – Le clocher **s'aperçoit** de loin (= est aperçu : passif) – Je **m'aperçois** de mon erreur (= je constate : vague);*

b) Au pluriel, il peut y avoir **équivoque** entre sens réfléchi et réciproque :

> *Ils se sont blessés (eux-mêmes? ou mutuellement?);*

c) Aussi le sens réciproque est-il souvent précisé par le **préfixe entre** (§ 19 N.B.); attention à l'orthographe très capricieuse! :

> *s'entr'aimer; s'entr'égorger; (s')entr'apercevoir ...;*
> *s'entraider, s'entradmirer, s'entraccuser, (s')entrouvrir ...*
> *s'entre-déchirer, s'entre-dévorer, s'entre-tuer ...*

d) Le verbe **s'appeler** suivi d'un nom propre **attribut** a le sens passif :

> *Il s'appelle Paul (= il est appelé Paul par tous);*

e) Les verbes **se suivre** et **se succéder** ont le sens vague (cf. § 454 N.B.)

> *Les jours se suivent; les années se succèdent;*

f) Le verbe **se suicider** est un pléonasme, devenu correct (se = *sui*)

> ***sui**-cide = meurtre de soi (cf **homi**-cide, **régi**-cide);*

g) Attention à «**accaparer**», transitif direct (et non pronominal) :

> *Il a accaparé le pouvoir (et non *il s'est accaparé du pouvoir);*

Sa voix pronominale n'est possible qu'avec le sens passif :

> *Le pouvoir s'accapare facilement dans ces pays pauvres;*

h) Attention aux temps composés de «**s'en aller**» (= partir); l'auxiliaire (être) se place entre «en» et «allé(e)(s)» :

> *Je m'en suis allé(e); elles s'en étaient allées;*

mais sous l'influence de «**s'enfuir**» («il s'en est fui», devenu par la suite «il s'est enfui»), on rencontre des formes comme :

> *Elle s'en est allée; quand ils se furent en allés;*

aussi, devant ces hésitations («je m'en suis allé», «je me suis en allé»), on dit, plus simplement, «je suis parti(e)»;

i) Attention au verbe «**s'ensuivre**», impersonnel, ou plutôt **défectif** (il n'existe qu'aux 3es personnes du sing. et du pl.) cf § 440 et 455, d :

> *Il s'ensuit, il s'ensuivra ...; des ennuis s'ensuivirent ...;*

aux temps composés on doit dire :

> *Il s'est ensuivi; il s'en est ensuivi (souvent abrégé, à tort en*
> **il s'en est suivi); des ennuis s'en sont ensuivis.*

N.B. Pour «**se souvenir**», voir ci-après § 439, c.

436. Rappel – Il est capital de bien cerner les 4 nuances du verbe pronominal, surtout pour maîtriser l'accord subtil de son **participe passé** (§ 452 sq.).

C – LES VERBES IMPERSONNELS

437. Les véritables verbes **impersonnels** (ou mieux **unipersonnels**) (cf. § 179, b) n'existent qu'à la 3ᵉ personne du singulier de la voix active (avec avoir : «il neige; il a neigé»), à tous les modes et temps (sauf l'imp., qui n'a pas de 3ᵉ pers.). Ils expriment des **phénomènes de la nature** :

> *Neiger, venter, tonner, brumer, bruiner, geler, pleuvoir;*

Ils peuvent s'employer **personnellement,** mais avec un **sens figuré** :

> *Les pétales **neigent** sur le tapis – Les questions **pleuvaient**.*

438. Certains verbes personnels peuvent s'employer impersonnellement :
– le verbe **être** et les verbes **d'état,** et le **gallicisme** «il y a» :

> *Il est (il existe, il y a) des méchants – Il semble (paraît) que;*

– des verbes actifs **intransitifs** (avec l'auxiliaire qui convient) :

> *Il est arrivé un malheur – Il a couru des bruits inquiétants;*

– des verbes **passifs** (surtout dans le style administratif) :

> *Il a été perdu (trouvé) un porte-monnaie – Il est interdit de ...*

– des verbes **pronominaux** :

> *Il se peut (il se trouve, il s'ensuit) que; il s'agit de ...*

– le verbe **faire** avec un **attribut** (adjectif ou nom) :

> *Il fait beau; il fait soleil – Il faisait sombre; il faisait nuit.*

439. Remarques
a) **Falloir**, ancien doublet de **faillir** (au sens de manquer, faire défaut, d'où être nécessaire) est devenu impersonnel :

> *Il faut, il fallait, il fallut, il faudra ...*

Avec **«en»** il prend la voix **pronominale** :

> *Il s'en faut, il s'en fallut...; peu s'en fallut, peu s'en faut;*

b) **Cuire** (avec «en») peut devenir impersonnel :

> *Il t'en cuira; il nous en cuisit; (il pourrait vous en cuire);*

c) **Se souvenir**, devenu personnel, a d'abord été impersonnel :

> *Il me (te, lui, nous, vous, leur) souvient (souvint, souviendra ...)*
> *Autant qu'il m'en souvienne – Faut-il qu'il m'en souvienne;*

d) **Rappel.** Dans l'emploi des verbes impersonnels, «il» n'est que le sujet **apparent** (ou **grammatical**) (cf. § 297).

D – LES VERBES DÉFECTIFS

440. Voici une liste de verbes **défectifs** (verbes de conjugaison incomplète, voire très incomplète) qu'il est bon de connaître; pour les détails, nous renvoyons le lecteur au «Guide de conjugaison», ou à un dictionnaire.

a) Le **1ᵉʳ groupe** n'a que 2 verbes défectifs :

● **bayer** (*bayer aux corneilles*), qui a un doublet **béer** (*béant, bouche bée*); à distinguer de **bâiller** (de fatigue) et **bailler** (= donner cf. *un bail*, cf. *un bailleur de fonds*);

● **ester** (*ester en justice* = suivre une action).

b) Plus nombreux sont ceux du **2ᵉ** et surtout du **3ᵉ groupe** :

● **accroire** (*en faire accroire*);

● **apparoir** (*il appert* = il apparaît avec évidence);

● **boire** (verbe régulier) a des **composés défectifs** :

– **déboire** (substantivé : *des déboires*);

– **emboire** (p.p. *embu*, parfois substantivé : *l'embu*);

– **forboire** (p.p. *fourbu*);

– **imboire**, doublet d'**emboire** (p.p. *imbu*);

● **braire** (ne pas confondre avec **brailler**);

● **bruire**, menacé par le **barbarisme** *bruisser (p. présent *bruyant*, devenu adjectif; p.p. *bruit*, devenu substantif : *un bruit*);

● **chaloir** (composé : *nonchaloir, nonchalant*) : *peu me chaut* (part. prés. *chalant*, devenu nom, avec un *d* : *un chaland* : un client);

● **choir** (en recul devant tomber) : «*et la bobinette cherra*»;

– **déchoir** (futur : je *déchoirai* ou *décherrai*; p.p. *déchu*);

– **échoir** (futur : *échoira* ou *écherra*; p. prés. *échéant*, cf. *le cas échéant*; p.p. *échu*, cf. *votre terme est échu*);

● **clore** (menacé par des verbes du 1ᵉʳ gr. : terminer, fermer, clôturer) et ses composés en **-clore** (déclore, forclore, enclore, éclore) et en **-clure** (conclure, exclure, inclure, reclure, occlure); attention à leur **futur** : *je clorai, je conclurai* (et non *concluerai*!) et à leur **participe passé** (avec ou sans -s) : *conclu, exclu*; mais *clos, éclos, forclos, inclus, occlus, reclus* (+ le participe adjectival *perclus*, féminin *percluse*, et non *percluse*!);

● **faillir** (et son doublet **falloir** devenu impersonnel; cf § 439, a) : *il a failli tomber; il a failli à l'honneur; le cœur me faut* (= me manque);

● **férir** (= frapper) cf. *sans coup férir*; p.p. adjectival : *féru*;

● **forfaire**, p.p. *forfait*, substantivé : *un forfait*;

● **frire**, p.p. *frit*, souvent substantivé : *des frites*;

● **gésir** : présent *je gis*, cf. *ci-gît, ci-gisent*; part. prés. *gisant*, souvent substantivé : *un gisant, des gisants*;

● **impartir** : *le temps qui nous est imparti; les délais impartis*;

● **issir** (= sortir), p.p. *issu*, souvent substantivé : *une issue*;

● **marrir** (= affliger), p.p. *marri*;

● **occire** (= tuer), p.p. *occis*;

- **oindre** (= frotter d'huile, puis d'huile sainte, cf. *l'Oint du Seigneur*);
- **ouïr** (= entendre) : *j'ai ouï dire,* cf. *par ouï-dire*;
- **paître**, et ses 2 sens : **brouter** et **garder les bêtes** (*les moutons paissent; le berger paît son troupeau*);
- **poindre** : *l'aube point, poindra*; impératif : *poignez* (= piquez) (cf. le fameux dicton, avec **oindre** : «*Oignez vilain, il vous poindra; poignez vilain, il vous oindra*»; p. prés. souvent adjectivé : *poignant*; p.p. souvent substantivé : *point* (*un point, une pointe*), cf. une *courtepointe*;
- **quérir** (ou **querir**) (= chercher) : *va-t'en quérir les vaches*;
- **rassir,** verbe formé sur le p.p. de rasseoir; p.p. *rassis,* fém. *rassise* (et non *rassie*);
- **saillir,** a plusieurs sens (jaillir; faire saillie, déborder; couvrir une femelle); (futur *saillira* (= jaillira), *saillera* (= fera saillie); p. prés. souvent adjectivé : *saillant*; p.p. souvent substantivé : *une saillie* (d'étalon, de taureau; ou un trait d'esprit);
- **seoir** : au sens de «situer», p.p. *sis, sise* (langue juridique); au sens de convenir : *il sied, il seyait, siéra* ... p. prés. *séant* (ou *seyant*);
- son composé **«messeoir»** (= ne pas convenir) : *il messied, messiéra*; p. prés. *messéant*;
- **traire** (= tirer; dans certaines régions on dit encore «tirer les vaches», et ses **composés** abstraire, distraire, extraire, retraire, soustraire, n'existent ni au passé simple, ni au subjonctif imparfait; leurs p.p. sont souvent adjectivés ou substantivés : *un trait, une traite; un distrait, une distraite; un extrait; un retrait.*

N.B. **Rappel**. Attention à **s'ensuivre** (cf. §435, i; 455, d) :

> *Il s'ensuivit des ennuis; des ennuis s'ensuivirent;*
> *Il s'est ensuivi; il s'en est ensuivi; des ennuis s'en sont ensuivis.*

Accords grammaticaux

A – L'ACCORD DU VERBE AVEC SON SUJET

441. Règle – Le verbe s'accorde en **nombre** et en **personne** avec son **sujet** :

> *Tu cours vite (2ᵉ p. s.) – Les chevaux galopent (3ᵉ p. pl.);*

Pour les **temps composés**, il y a en plus l'accord en **genre** :

> *Elles sont parties hier (3ᵉ p. du fém. plur.).*

a) Remarques sur l'accord en nombre

442. Lorsqu'il y a **un seul sujet** et que ce sujet est :
a) un nom **collectif** (foule, troupe, bande, horde, nuée, armée, multitude ...),
– si ce nom est seul, **sans complément,** le verbe est au singulier :

> *La foule s'écoulait – Une horde fonça – Tout le monde va bien;*

– si ce nom est suivi d'un **complément au pluriel**, l'accord est plus délicat : c'est le **sens** qui commande (selon qu'on insiste sur l'ensemble ou sur son complément, le verbe est au singulier ou au pluriel) :

> *Un troupeau de vaches retarda notre allure (le troupeau);*
> *Une foule de touristes visitent Paris (les touristes);*

– Dans certains cas, l'accord est **indifférent** :

> *Une foule de spectateurs faisait (ou faisaient) la queue;*

b) un **pronom neutre** singulier :
– **«il»**, sujet apparent (ou grammatical) d'un verbe impersonnel, le verbe reste au singulier (même si le sujet «réel» est au pluriel) :

> *Il tombait de gros grêlons;*

– **«ce»** (**«c'»**) avec attribut, le verbe est également au singulier :

> *C'est un ami – C'est moi (toi, lui, elle, nous, vous);*

cependant, avec **eux, elles,** et un **nom pluriel** le pluriel est préférable (surtout dans la langue écrite) (cf. § 141, a) :

> *Ce sont eux (elles) – Ce furent (ce seront) des disputes sans fin;*

157

c) un **adverbe de quantité** (beaucoup, peu, assez, moins, trop, combien ...) avec ou sans complément au pluriel, le verbe est au pluriel :

> *Beaucoup d'élèves **sont** étourdis; combien **pourraient** mieux faire!*

N.B. Avec **«plus d'un(e)»**, le verbe est au singulier :

> *Plus d'un (plus d'un ami) **a regretté**, ici, votre départ.*

d) une **locution** voisine de l'adverbe de quantité ou d'un collectif (la plupart, nombre de, quantité de, force ...), le verbe est au **pluriel** :

> *La plupart des accidents **sont dus** à la vitesse; quantité d'entre eux **pourraient** être évités – Force discussions **ont eu lieu** ce soir-là.*

443. Lorsqu'il y a **plusieurs sujets**, et que ces sujets sont :
– **juxtaposés** ou **coordonnés** par et, le verbe est au **pluriel** :

> *Mon oncle, ma tante et mes cousins **arrivent** demain;*

– **juxtaposés,** mais repris par un **pronom singulier** (tout, rien, personne) le verbe est au **singulier** :

> *Livres, jouets, bonbons, **tout** le **laisse** indifférent (rien ne l'**attire**);*

– **coordonnés** par **ou**, ou par **ni**, le verbe se met :
● au **pluriel** quand il n'y a **pas d'exclusive** :

> *Un effort **ou** une émotion **peuvent** mettre sa vie en danger;*
> *Ni l'or **ni** la grandeur ne nous **rendent** heureux (La Fontaine);*

● au **singulier** s'il y a **exclusive** :

> *Pierre **ou** Paul a **menti** (c'est l'un, ou l'autre);*
> *Ni Pierre ni Paul n'**est** mon préféré;*

– **«l'un(e) et l'autre»**, le verbe est généralement au **pluriel** :

> *L'un et l'autre **sont venus**;*

mais on peut trouver le **singulier** :

> *L'un et l'autre y **a manqué**;*

– **«l'un(e) ou l'autre»**, le verbe est au **singulier** :

> *L'un ou l'autre m'**a trahi**;*

mais en cas d'**apposition** au sujet, le verbe est au **pluriel** :

> *Ils m'**ont trahi**, l'un ou l'autre – L'un ou l'autre, ils m'**ont trahi**;*

– **«ni l'un(e) ni l'autre»**, le verbe est au singulier ou au pluriel :

> *Ni l'un ni l'autre n'**a** (ou n'**ont**) trahi;*

mais en cas d'**apposition** au sujet, le verbe est au **pluriel** :

> *Ils n'**ont trahi**, ni l'un ni l'autre – Ni l'un ni l'autre, ils n'**ont trahi**.*

b) Remarques sur l'accord en personne

444. Lorsqu'il y a **un seul sujet**, le verbe a la même personne que son sujet :

> *Je chante; il siffle; nous rions; nos voisins sont gentils;*

– **Attention!** Quand le sujet est le **pronom relatif qui,** le verbe prend la personne de l'**antécédent** du pronom relatif (cf. § 159, b) :

> *C'est moi qui **écrirai**; c'est toi qui **posteras** la lettre;*
> *C'est moi qui vous le **dis,** qui **suis** votre grand-mère (Molière);*

– **Attention!** Quand l'antécédent de **qui** est un mot exprimant une pluralité, et attribut d'un **nous** ou d'un **vous**, l'accord se fait avec ledit pronom personnel :

> *Nous sommes nombreux (dix, vingt, des douzaines ...) qui*
> ***comprenons** cela – Vous êtes nombreux (...) qui **comprenez***
> *cela;*

et quand cet antécédent attribut est **«le premier»**, **«le seul»** (la seule), le verbe reste à la 3ᵉ personne, ou s'accorde avec le pronom personnel sujet :

> *Tu es le premier (le seul) qui **ait compris** (qui **aies compris**).*

445. Lorsqu'il y a **plusieurs sujets :**
Si les sujets sont de personnes différentes, le verbe prend la personne de l'un d'entre eux (la 2ᵉ l'emporte sur la 3ᵉ, la 1ʳᵉ sur les 2 autres) :

> *Paul et toi **êtes** mes meilleurs amis (la 2ᵉ l'emporte sur la 3ᵉ);*
> *Paul et moi **sommes** amis (la 1ʳᵉ l'emporte sur la 3ᵉ);*
> *Toi et moi **avons** les mêmes goûts (la 1ʳᵉ l'emporte sur la 2ᵉ)*
> *Paul, toi et moi **aimons** le sport (la 1ʳᵉ l'emporte sur les 2ᵉ et 3ᵉ).*

N.B. Ne pas oublier l'accord du pronom complément dans les **modes impersonnels** de la voix **pronominale** :

> ***me** (te, se, nous, vous, se) **laver; me** (te, se, nous, vous, se) **lavant;***
> ***en me** (te, se, nous, vous, se) **lavant**.*

B – L'ACCORD DU PARTICIPE PASSÉ

a) Employé seul

446. Le participe passé employé seul, comme verbe ou comme adjectif (épithète, attribut ou apposé), s'accorde en **genre** et en **nombre** avec le nom :

> *Un ami dévoué (m. s.), des serviteurs dévoués (m. pl.);*
> *une mère dévouée (f. s.), des infirmières dévouées (f. pl.).*

447. Remarque − Sont invariables :
− les **locutions figées** du style juridique :

> *lu et approuvé; vu;*

− les **participes** suivants, lorsqu'ils **précèdent** un nom : **approuvé, attendu, certifié, communiqué, entendu (ouï), étant donné, excepté, ôté, passé, lu, reçu, supposé, vu;** et les locutions **«y compris»**, **«mis à part»** :

> ***Attendu (vu)*** *les conséquences;* ***entendu (ouï)*** *les témoins;* ***passé*** *la frontière;* ***étant donné*** *la situation;* ***y (non) compris*** *les femmes et les petits enfants;* ***mis à part*** *ces opinions ...*

mais s'ils **suivent** le nom, ils redeviennent variables et s'accordent :

> *Les témoins entendus (ouïs); la frontière passée; la situation étant donnée; les femmes y (non) comprises; ces opinions mises à part ...*

N.B. Le cas de **ci-inclus, ci-joint, ci-annexé** est d'emploi plus délicat :
● ils sont **invariables** : en tête de phrase, ou précédant immédiatement un nom sans article :

> *Ci-joint (ci-inclus, ci-annexé) une quittance;*
> *Vous trouverez ci-joint copie de cette lettre;*

● ils sont **variables** : quand ils suivent le nom, ou quand ils le précèdent (et que ledit nom est précédé d'un article ou d'un numéral) :

> *Copie(s) ci-jointe(s), ci-incluse(s), ci-annexée(s);*
> *Vous trouverez ci-jointes les copies (deux copies) du projet.*

b) Avec l'auxiliaire être

448. Le participe passé des verbes conjugués avec être (verbes passifs, certains intransitifs) s'accorde en **genre** et en **nombre** avec le sujet :

> *Elles seront punies (f. pl.) pour ce mensonge;*
> *Elle était partie (f. s.) depuis trois semaines.*

449. Remarques
a) Pour les verbes **pronominaux** (qui utilisent l'auxiliaire être), voir ci-après, § 452 sq;

b) Pour les **impersonnels** à auxiliaire être, le participe reste invariable :

> *Il est arrivé une catastrophe − Il était tombé des grêlons;*

c) Avec **nous** (**solennel** = je) et **vous** (pluriel de **politesse**), le participe reste au singulier :

> *Nous sommes convaincu(e) de son innocence;*
> *Vous êtes prié(e) de venir ... (Monsieur, ou Madame).*

c) Avec l'auxiliaire avoir

450. 1) S'il n'y a pas de c.o.d., il n'y a pas d'accord :

> *Elles ont mangé; elles avaient rougi; elles auront déçu;*

2) S'il y a un c.o.d., mais **après** le verbe, pas d'accord non plus :

> *Elles ont mangé des cerises; elles auront déçu nos espoirs;*

3) Si le c.o.d. est **avant** le verbe, il y a accord avec ledit c.o.d. :

> *Quels fruits as-tu achetés? (fruits : m. pl.);*
> *Quelle belle exposition j'ai vue (exposition : f. s.);*
> *Ces framboises, je les ai cueillies (les = framboises : f. pl.);*
> *Admire les truites que j'ai attrapées (que = truites : f. pl.);*
> *Voyez les dégâts qu'a provoqués l'inondation (qu' = dégâts : m. pl.).*

451. Remarques (Cas particuliers)

a) Avec un nom **collectif** suivi d'un **complément au pluriel** et repris par un pronom **relatif**, l'accord se fait selon le sens (cf. § 442, a) :

> *La foule de personnes que j'**ai fendue** (que = la foule : f.s.);*
> *La foule de personnes que j'**ai saluées** (que = personnes : f. pl.);*

b) Avec un **adverbe de quantité** suivi d'un nom complément au pluriel, l'accord se fait avec ce complément :

> *Combien de cerises j'**ai mangées**! – Combien d'amis **as-tu vus**?*

c) Avec le pronom personnel **«en»** :
- s'il est **seul** (avec nuance **partitive**), pas d'accord :

> *Des cerises, j'en ai **mangé** – Des nouvelles, j'en **ai reçu**;*

- s'il est accompagné d'un adverbe de quantité, accord facultatif :

> *Des romans policiers, combien il en a **dévorés** (ou **dévoré**);*

d) Avec le pronom personnel **«le»** :
- s'il a le sens **neutre** de **«cela»**, pas d'accord :

> *Elle a remporté la victoire, comme je l'avais **espéré** (l' = cela);*

- s'il remplace un nom, accord en genre et nombre avec ce nom :

> *Cette victoire, je l'avais **espérée** (l' = cette victoire : f. s.);*

N.B. Noter l'invariabilité dans les expressions **figées** :

> *Nous l'avons **échappé** belle – Il me l'a **baillé** belle.*

e) Avec un **infinitif** qui suit, pas d'accord (règle simplifiée) :

> *Je les ai **envoyé** chercher – C'est la lettre qu'ils ont **dit** venir de Rome – Voilà la route qu'on m'a **dit** être la plus courte – Cette maison, je l'ai **vu** construire ...*

Cependant, quand le pronom qui précède est le **sujet de l'infinitif** qui suit, mieux vaut faire l'accord, ce qui permet de distinguer :

> *Je les ai **vues** applaudir (ce sont elles qui applaudissent);*
> *Je les ai **vu** applaudir (ce sont elles qu'on applaudit).*

N.B. Avec «**fait**» + infinitif, pas d'accord (quel que soit le sens : sujet ou objet) :

> *Je les ai **fait** venir – Je les ai **fait** arrêter.*

f) Avec un verbe **impersonnel** à auxiliaire **avoir,** pas d'accord, puisqu'il n'y a pas de c.o.d., mais **sujet réel** :

> *Quelle patience il nous a **fallu**! – Quelle chaleur il **a fait**!*

g) **Attention!** Certains verbes **intransitifs** (à auxiliaire **avoir**) comme : coûter, valoir, peser, marcher, courir, régner, durer, vivre ..., sont souvent accompagnés d'un c.c. de **quantité** (§ 318) ou de **durée** (§ 311), à ne pas prendre pour des **c.o.d.**; donc pas d'accord :

> *Les mille francs que m'**a coûté** cet achat – Les longs mois qu'**a duré** sa maladie – Les dix kilomètres qu'elle **a marché** ...*

Mais ils peuvent prendre un sens **figuré** et devenir **transitifs**, avec un c.o.d., et l'accord se fait; comparons en effet :

> *La demi-heure que j'ai **couru** (sens **propre** : durée; invar.);*
> *Les dangers que j'ai **courus** (sens **figuré** : c.o.d.; var.);*

h) **Attention!** Sont toujours invariables les participes passés des verbes **intransitifs** et **transitifs indirects** puisqu'ils n'ont pas de c.o.d.), ainsi que ceux des **impersonnels** (voir ci-dessus, f), et celui du verbe **être** ; citons :

> *abondé, accédé, agi, bavardé, bondi, circulé, complu, dormi, été, failli, fallu, geint, gémi, menti, mugi, nagé, nui, péché, péri, plu (plaire), plu (pleuvoir), remédié, réagi, ri, rôdé, rougi, semblé, suffi, tonné, toussé, vivoté, voyagé ...*

d) Avec un verbe pronominal (auxiliaire être)

452. Rappel – Il est nécessaire de distinguer les 4 nuances (§ 167 et 434)
1) Dans les pronominaux de sens **passif** et de sens **vague**, le participe passé s'accorde simplement en genre et en nombre avec le sujet :

> *Les légumes se sont **vendus** cher (sens passif);*
> *Elles se sont **écriées** (sens vague, essentiellement pronominal);*
> *Ils se sont **aperçus** de leur erreur (sens vague, non réfléchi).*

2) Dans les pronominaux de sens **réfléchi** et de sens **réciproque**, le pronom personnel complément est **un vrai c.o.d.,** et l'auxiliaire **être** a valeur d'auxiliaire **avoir**; donc accord avec ce c.o.d. placé **devant** le verbe :

> *Elle s'est **blessée** (réfléchi = elle a blessé s');*
> *Ils se sont **battus** (réciproque = ils ont battu se).*

453. Remarques sur le sens réfléchi

a) Bien cerner le c.o.d. (et sa place !); bien distinguer :

> *Elle s'est **coupée** (elle a coupé s'; placé devant, accord);*
> *Elle s'est **coupé** le doigt (c.o.d. placé derrière, pas d'accord);*
> *Ils se sont **assurés** contre le vol – Ils se sont **assuré** les services*
> *d'un gardien ...*

b) Avec un **infinitif qui suit,** accord ou non (comme § 451, e) :

> *Elle s'est **vue** gronder (son fils) – Elle s'est **vu** gronder (par son fils).*

N.B. Avec «**fait**» + **infinitif,** pas d'accord :

> *Elle s'est **fait** teindre – Elle s'est **fait** teindre les cheveux.*

N.B. Avec un **attribut du c.o.d.,** il y a accord :

> *Elle s'était **crue** malade – Ils se sont **faits** les champions de cette noble cause –*
> *Elle s'est **faite** infirmière.*

454. Remarques sur le sens réciproque

a) Bien cerner le c.o.d. (et sa place !); bien distinguer :

> *Elles se sont **disputées** – Elles se sont **disputé** la victoire;*

b) Bien distinguer le vrai c.o.d. (se = **l'un l'autre, les uns les autres**) et le faux c.o.d. (**l'un à l'autre, les uns aux autres**) :

> *Ils (elles) se sont **aimé(e)s** – Ils (elles) se sont **plu** (déplu);*
> *Ils (elles) se sont **salué(e)s** – Ils (elles) se sont **souri**.*

N.B. Attention à «**se suivre**» et «**se succéder**» qui sont de faux réciproques (cf. § 435, e); noter leur accord différent :

> *Les ennuis se sont **suivis** (les uns les autres : vrai c.o.d.) –*
> *Les ennuis se sont **succédé** (les uns aux autres : faux c.o.d.).*

N.B. Avec le sujet «**on**» du style familier, accord ou non :

> *On ne s'était pas **revu** (ou **revu(e)(s)**) depuis longtemps;*
> *On a eu du mal, mais on s'est **habitués** (M. Achard).*

455. Remarques sur le sens vague

a) Le verbe «**s'arroger**» (= s'attribuer, essentiellement pronominal) se conduit comme s'il avait l'auxiliaire **avoir**; son participe passé s'accorde donc avec le c.o.d., si celui-ci précède le verbe :

> *Elles se sont **arrogé** des droits exorbitants;*
> *Tels sont les droits qu'elles se sont **arrogés**.*

b) Le verbe «**se rire de**» (non réfléchi) a un participe invariable :

> *Ils (elles) se sont **ri** de mon chagrin;*

c) Le verbe «**plaire**» (non réfléchi) a plusieurs sens : trouver du plaisir à, se trouver bien, et même le sens réciproque; son participe est invariable (de même pour «**se complaire**» et «**se déplaire**») :

> *Elle s'est **plu** (complu) à me taquiner – Elle s'est **plu** (déplu) là et y est restée – Elles se sont **plu** (déplu) dès le premier contact, et sont restées amies (ennemies);*

d) Attention au participe de **«s'ensuivre»** (cf. 435, i) :

> *Des ennuis s'en sont **ensuivis** (et non *s'en sont suivis).*

456. Conclusion – Voilà une vue d'ensemble de cette terrible règle de **«l'accord du participe passé»**; mais un peu d'attention, de réflexion et d'analyse permet d'aplanir les difficultés.

C – L'ACCORD DE L'ADJECTIF

a) L'adjectif qualificatif

457. Pour les **accords de base** cf. § 103-114; pour les **détails** :
a) Pour l'accord avec **«amour», «délice»** et **«orgue»**, cf. § 57, c :

> *Un fol amour, de folles amours;*

b) Pour l'accord avec **«Pâque(s)»** et **«gens»**, cf. § 57, e et f :

> *La Pâque juive; à Pâques prochain; Pâques fleuries;*
> *Les vieilles gens; les gens sensés; quels braves gens!*

c) Pour l'accord avec **«après-midi»** et **«orge»**, cf. § 54, c et d :

> *Un **bel** après-midi; l'orge **mûre** (mais l'orge **mondé**);*

d) Pour l'accord de **«grand»** et **«fort»**, cf. § 106, d; de **«feu»**, cf. § 113, c :

> *Grand-mère (cf. mère-grand); Rochefort; feu la (la feue) reine.*

N.B. **«Fort»** reste **invariable** dans la locution verbale **«se faire fort»** :

> *Elles se sont fait **fort** de gagner la partie.*

e) Pour l'accord avec un pronom **neutre**, l'adjectif (qui comme le nom a perdu le genre neutre) se met au **masculin** (cf. §112, c; 124 N.B.; 272; 342, c; 344; 346) :

> *C'est **beau**; rien de **bon**; quoi de **nouveau**?*

N.B. La seule trace de **neutre** dans l'adjectif qualificatif se trouve dans le comparatif et le superlatif de mauvais (§ 118, a N.B., 121, d) :

> *C'est encore **pis** – Le **pis** est qu'il ment souvent.*

f) Pour l'accord du **superlatif** avec son complément, cf. § 333, b :

> *L'âne est **la plus sotte** des bêtes (**le plus sot** des animaux).*

N.B. Employé seul, le superlatif peut prendre une valeur de **neutre** (cf. § 122) :

> *Au plus fort de l'été; au plus profond des forêts.*

g) **Attention** à **«des plus»**; l'adjectif qui suit se met généralement au pluriel :

> *Un enfant des plus **doués**; une idée des plus **géniales**;*

mais s'il se rapporte à un verbe ou à un pronom neutre, il reste invariable :

> *Mentir n'est pas des plus **facile** – Cela me fut des plus **difficile**;*

h) **Attention** à **«lèse»»**, adjectif féminin (= lésée, = **blessée**) et non verbe, qui ne peut donc accompagner qu'un nom féminin :

> *lèse-majesté (-royauté, -république, -présidence, -humanité ...);*

i) **Attention** à l'accord avec le sujet **«on»** du style **familier** (cf. § 129, c N.B.) :

> *A-t-on été **sages** à l'école, mesdemoiselles?*

b) L'adjectif indéfini

458. a) **Nul(le)** et **aucun(e)** sont toujours au singulier, sauf s'ils accompagnent un nom toujours au **pluriel** (cf. § 84, a) :

> *Aucuns frais; nulles obsèques;*

b) **«L'un(e) et l'autre»** employé comme **adjectif** (et non comme pronom) accompagne un nom **singulier** (et non pluriel) :

> *L'un et l'autre **animal** (et non *animaux);*
> *L'une et l'autre **province** (et non *provinces).*

c) **«Chaque»** accompagne un nom singulier (§ 84, a) :

> *Chaque jour, chaque semaine;*

mais on dit : *tous les jours, toutes les semaines* (et non, comme dans certaines régions **chaque huit jours, *chaque deux ans*).

d) Pour l'accord de **«tout», «même», «quelque», «tel»,** voir § 469 sq.

c) L'adjectif possessif

459. a) Pour **mon, ton, son** devant un nom **féminin**, cf. § 75, a :

> *Mon amie, ton intention, son horreur;*

b) Pour **votre, vos, vôtre, vôtres** dans le **pluriel de politesse**, cf. § 75, b :

> *J'ai reçu votre lettre, monsieur – Je reste vôtre, madame;*

c) **Attention** à l'emploi de **son, sa, ses** ou **leur, leurs,** avec le pronom indéfini **«chacun»** (qui n'a pas de **pluriel**) :

● si **chacun** est **après** un verbe au pluriel, accord indifférent :

> *Ils s'en allèrent chacun de **son** (ou de **leur**) côté;*

● mais si **chacun** est **sujet** (avec verbe au singulier), on doit dire :

> *Chacun s'en alla de **son** côté – Chacune s'assit à **sa** place.*

Confusions à éviter

460. Qui

- pronom **relatif** :

> Évitons les camarades *qui* trichent;

- pronom **interrogatif** (en interrogation directe ou indirecte) :

> *Qui* a téléphoné? – *Qui* hantes-tu?
> Dis-moi *qui* a téléphoné? – Dis-moi *qui* tu hantes.

N.B. **Attention à qui** (**archaïque**) = si on :

> Tout vient à point *qui* sait attendre (et non *à qui sait...)

461. Que

- pronom **relatif** :

> Voici l'homme *que* j'ai rencontré hier;

- pronom **interrogatif** (en interrogation directe ou indirecte) :

> *Que* puis-je dire? – Je ne sus / *que* dire;

- adverbe de **quantité** (en emploi exclamatif) :

> *Que* tu es sage! – *Que* d'eau! *que* d'eau!

- adverbe d'**interrogation** :

> *Que* (= pourquoi) n'étais-tu là hier?

- **conjonction-particule** du mode subjonctif :

> *Qu'*elle entre! – *Qu'*ils s'en aillent!

- conjonction de **subordination** :
- dans la **complétive** :

> J'espère / *que* tu viendras demain;

- dans la **circonstancielle** :
de **but** : *Approche, / que je t'embrasse;*
de **cause** : *Qu'as-tu / que tu es si triste?*
de **temps** : *Je ne te lâcherai pas / que tu n'aies avoué;*
de **conséquence** : *Elle est timide / que c'en est une maladie;*
de **comparaison** : *Il est plus courageux / que tu ne crois.*

N.B. Dans une 2e circonstancielle, **que** permet d'éviter la **répétition** de la 1re conjonction :

> *Comme* il fait froid / et *que* ... – *Si* tu m'appelles / et *que* ...
> *Quand* je travaille / et *que* ... – *Bien qu'*il fasse beau / et *que* ...

462. Attention! Ne pas confondre **ce qui, ce que** relatifs ou interrogatifs :

Ce qui arrive est grave – **Ce que** tu dis est grave *(relatifs);*
*Dis-moi **ce qui** arrive – Dis-nous **ce que** tu en penses (interr.).*

463. Où

● adverbe de **lieu**, devenu par glissement pronom **relatif** :

*Voici la maison / **où** ta grand-mère est née;*

● adverbe **interrogatif** (en interrogation directe ou indirecte) :

***Où** es-tu né(e)? – Dis-moi / **où** tu es né(e);*

N.B. **Ou** (sans accent) = ou bien, est **conjonction de coordination** :

*Quelle saison préférez-vous? l'été **ou** l'hiver?*

464. Quand

● conjonction de **subordination** :
– marquant le **temps** :

*Tu peux venir / **quand** tu veux;*

– marquant la **supposition** (et l'opposition) (quand = même si) :

***Quand** tu y consacrerais tout ton temps, tu n'y arriverais pas;*

● adverbe **interrogatif** (en interrogation directe ou indirecte) :

***Quand** viendras-tu? – Dis-nous / **quand** tu viendras.*

N.B. **«Quant à»** (avec un **-t**) est une **locution prépositive** :

Quant à moi, je préfère la poésie.

465. Comme

● conjonction de **subordination** marquant :
– la **cause** : *Comme il fait beau, / **je vais sortir;***
– le **temps** : *Il arriva / **comme** j'allais sortir;*
– la **comparaison** : *Tu parles / **comme** un livre;*
● adverbe **exclamatif** (quantité) : ***Comme** elle a grandi!*
● adverbe **interrogatif** (manière) : *Regarde / **comme** (comment) je fais;*
● adverbe de **manière** (conjonction atténuée = pour ainsi dire) :

*On entend **comme** un appel – Il était **comme** mort;*

● conjonction **explétive** (devant un attribut ou apposition) :

*Je te considère **comme** fou – **Comme** chef, il est très fort.*

466. Si

● conjonction de **subordination** marquant :
– la **condition** : *Si j'avais un bateau, je serais heureux;*
– la **cause** : *Comment l'aurais-je fait, si (= puisque) je n'étais pas né?*
– le **temps** : *Si on disait blanc, elle disait noir;*
● adverbe **interrogatif** (en subordonnée) : *Dis-moi / **si** tu m'aimes;*

- adverbe **interrogatif** (exclamatif) : *Vois / si je suis contente(e)!*
- adverbe de **quantité** : *Je suis si content(e)!*
- adverbe d'**affirmation** : *«Ne m'aimes-tu pas? – Si».*

467. En
- **préposition** : *une montre en or; vivre en Italie; skier en hiver;*
- adverbe de **lieu** (= de là) : *«Connais-tu la Grèce? – J'en reviens»;*
- pronom **personnel** (atténuation de l'adverbe de lieu : cf. § 129, e) :

> *J'ai visité la Suisse et en connais les plus beaux coins;*
> *Elle ne l'aime pas et il en souffre – J'en suis sûr(e) ...*

468. Y
- adverbe de **lieu** : *J'y suis, j'y reste;*
- pronom **personnel** (par glissement de sens; cf. § 129, e) :

> *Songez-y – Qui s'y frotte, s'y pique.*

469. Tout
- adjectif **indéfini** (= chaque) : ***Tout** homme, **toute** femme;*
- adjectif **qualificatif** (= entier) : ***Tout** le village, **toute** la ville;*
- pronom **indéfini** (singulier neutre; pluriel : tous, toutes) :

> ***Tout** vous est aquilon, **tout** me semble zéphyr (La Fontaine);*
> *Ils ne mouraient pas **tous**, mais **tous** étaient frappés (id).*

- nom **commun** (= totalité) : *la partie et le tout; le tout pour le tout.*

*N.B. Au pluriel, le **t** subsiste : un tout, des touts.*

- adverbe de **quantité** (= entièrement, tout à fait) :

> *La ville **tout** entière; ils sont **tout** seuls; les **tout** petits;*

- **explétif**, devant un gérondif : *Il rêve **tout** en marchant.*

Remarques
a) Tout, **adverbe**, varie devant un adjectif féminin commençant par une consonne ou un *h* aspiré :

> *Elle est **toute** pâle; elles sont **toutes** honteuses;*

b) **Attention** à tout devant **«autre»** :
- il est **adjectif**, donc variable, s'il se rapporte au nom qui suit :

> *Il exerçait **toute** autre activité (= n'importe quelle ...);*

- il est **adverbe**, donc invariable, s'il porte sur l'adjectif **autre** :

> *Il exercerait volontiers une activité **tout** autre.*

c) **Attention** à tout devant un **titre d'œuvre littéraire** :
- il reste invariable quand l'œuvre commence par l'article **le** ou **les** (au masculin) ou qu'elle n'a pas d'article en tête :

> *J'ai lu tout «le Grand Meaulnes», tout «les Misérables»;*
> *tout «Madame Bovary», tout «Colomba», tout «Carmen» ...*

● Il varie généralement quand il précède **la** ou **les** (au féminin):

> J'ai lu **toute** «*la Mare au Diable*», **toutes** «*les Femmes savantes*»;

d) Noter la différence de sens (et de prononciation) entre:

> Elles sont toutes / **prêtes** – Elles sont / **toutes prêtes**;
> Ces robes sont toutes / **rouges** – Ces robes sont / **toutes rouges**;

e) Avec «tout» devant un nom de **ville**, le masc. l'emporte, cf. § 54, b:

> Tout Venise (tout Florence) est en fête; cf. le Tout-Paris.

N.B. L'accord de **tout adjectif**, dans certaines locutions, est capricieux:
– le plus souvent on emploie le **singulier**:

> En tout cas, de toute façon, à tout propos, en toute saison, de tout temps, à toute heure, à tout hasard, en tout point, en tout genre, à tout bout de champ, à toute allure, en toute liberté ...

– parfois on emploie le **pluriel**:

> En tous sens, à tous égards, à toutes jambes, de tous côtés, en toutes lettres, de toutes pièces, toutes proportions gardées, à toutes fins utiles, toutes choses égales d'ailleurs ...

– parfois on emploie **indifféremment** le singulier ou le pluriel:

> De toute(s) sorte(s), de tout(s) part(s), de toute(s) manière(s), toute(s) affaire(s) cessante(s), tout (tous) compte(s) fait(s), en tout (tous) temps, en tout (tous) lieu(x) ...

470. Même

● adjectif **indéfini** (donc variable):
– placé **devant** le nom, marque l'**identité**: *les mêmes idées*;
– placé **après** le nom, marque l'**insistance**: *les idées mêmes*;
– placé **après** le pronom personnel (et relié à lui par un trait d'union), marque l'**insistance**: *moi-même, elle-même, eux-mêmes*;
● pronom **indéfini** (précédé de l'article):

> Tu es toujours **le même**; elles sont toujours **les mêmes**;

● adverbe (donc invariable):
– devant **adjectif, participe** ou **adverbe** (valeur de **concession**):

> **Même** malade (même épuisé), il travaille –
> **Même** loin, je pense à toi;

– devant un **verbe** ou un **nom** (valeur de **gradation**):

> Elles sont heureuses, et **même** elles chantent –
> **Même** les nuits étaient très chaudes.

N.B. Il est parfois difficile de distinguer l'**adjectif** de **l'adverbe**:

> Vos idées **mêmes** me rebutent (= elles-mêmes);
> Vos idées **même** me rebutent (= aussi, de plus).

471. Quelque

● adjectif **indéfini** (au singulier ou au pluriel, selon le sens) :

> *Il possède **quelque** bien − Il leur est arrivé **quelque** accident;*
> *J'ai reçu **quelques** amis − Elle a fait **quelques** emplettes.*

N.B. Quelque ne **s'élide** que devant **un** ou **une** (cf. § 19 N.B.) :

> *Quelqu'un(e) de mes proches (cf. quelque ami, quelque héritage).*

● adverbe de **quantité** (devant un numéral) = environ (invariable) :

> *Il y a **quelque** vingt ans − Nous étions **quelque** trois cents ...*

N.B. Dans la locution concessive **quelque ... que** (cf. § 397) :
− quelque est **adjectif**, et variable, devant un nom (précédé ou non d'un adj. qual.) :

> ***Quelques** (belles) idées **qu'**il exprime, on ne le croit pas;*

− quelque est **adverbe**, et invariable, devant adjectif seul ou adverbe :

> ***Quelque** belles **que** soient ses idées, on ne le croit pas;*
> ***Quelque** sagement **que** l'on agisse, on se fait critiquer.*

Ne pas confondre avec le relatif indéfini variable **quel(les)(s) que** :

> ***Quel que** soit ton avis; **quelles que** soient tes idées.*

472. Tel

● adjectif **indéfini** :

> ***Telle** ville m'a plu davantage − J'ai lu **tel** et **tel** livre;*

● adjectif **qualificatif** :

> ***Telle** est mon opinion − **Tel** père, **tel** fils;*

● pronom **indéfini** :

> ***Tel** est pris qui croyait prendre;*

● précédé de l'article indéfini, il équivaut à un **nom propre** :

> *Monsieur **Un tel** (ou **Untel**) − Madame **Une telle** (ou **Unetelle**).*

Accords

− **Tel** (seul) s'accorde avec le nom (ou pronom) qui suit :

> ***Telle** est mon idée − Certains amis, **tel** Paul ...*

− **Tel que** s'accorde avec le nom qui précède :

> *Certains amis **tels que** Paul ...; des bêtes **telles que** le chat;*

− **Comme tel** s'accorde avec le nom sous-entendu :

> *Ce propos est une infâmie, et **comme telle**, blâmable;*

− **Tel quel** (pronom) est variable :

> *Je te la rends **telle quelle**; je te les rends **tel(le)s quel(le)s**.*

N.B. Éviter la grave incorrection *«tel que»*, pour «tel quel» :

> *Je te les rendrai *tel(le)s que; (il faut dire : tel(le)s quel(le)s).*

La prononciation

473. Certains mots de la langue française sont souvent mal prononcés; il convient d'être vigilant; et il ne faut pas hésiter, en cas de doute, à consulter un dictionnaire.

Bornons-nous ici, pour attirer l'attention et piquer la curiosité, à quelques exemples.

474. Prononçons bien :

> *Aérophage*, mais *aréopage*; *amygdale* (avec le *-g-* prononcé);
> *aiguiser* (*ai-gu-i-ser*, et non **aighi-ser*);
> *arguer* (*ar-gu-er*, cf. *argument*, et non comme *narguer*);
> *antienne* (*an-ti-enne*, comme *antichar*, et non *ancienne*);
> *automne* et *automnal* (avec *-m-* muet); *astérisque* (et non **astérique*); *baptiser, compter, sculpter, exempter, promptement* (avec *-p-* muet); *dégingandé* (*dé-jin-gan-dé*); *désuet* (avec *s* dur, cf. *suer*);
> *disert* (*di-zert*, cf. *diseur*); *encoignure* (*en-ko-gnure*, malgré *coi*); *exsangue* (*-ks-* et non *-gz-*); *faisan, faisandé* (*fai-* = *fe-*);
> *filigrane* (et non **filigramme*); *pantomime* (et non **pantomine*);
> *gageure, mangeure, rongeure, vergeure* (*-geu-* prononcé **ju*);
> *hypnotiser* (et non **hynoptiser*); *jungle* (prononcer **jongle*);
> *moelle, moelleux, moellon* (*o* et *e* séparés; prononcer *-oi-*);
> *œdème, œcuménique* (*o* et *e* collés; prononcer *é-*);
> *prestidigitateur* (et non **prestigiditateur*); *quasi* (prononcer *kazi*); *rémunérer* (et non **rénumérer*); *saupoudrer* (et non **soupoudrer*).

475. Distinguons bien :

Abbaye (a-bé-i) et *abeille; aqueduc (a-ke-duc)* et *aquarium (-koua); brun* et *brin, emprunt* et *empreint; catéchisme (ch-* chuinté) et *catéchumène* (pron. *ka-té-ku-mène*); *égayer (é-gai-ier)* et *s'égailler (é-ga-yer); immangeable, immanquable* (pron. *in-*) et *immanent, immaculé* (pron. *imm-*); *magnum, magnat, magnificat* (pron. à la latine, en séparant *g* et *n*), et *magnanime, magnifique* (comme dans *agneau*); *oignon (oi-* pron. *o*) et *moignon* (pron. *oua*); *promptement* (*p* interne muet*)* et *impromptu* (2ᵉ *p* prononcé); *pugnace, pugnacité* (pron. *g-n* séparés) et *inexpugnable* [ɲ]; *quadragénaire, quadrature, quatuor, quadrige ... (qua-* pron. *koua*); et *quadrille, quadrillage, quadrette, quarté (qua-* pron. *ka-*);
ch- chuinté dans : *trachée, archevêque, schiste, chirurgie ...*
ch- prononcé *k-* dans : *trachéite, archange, chiromancie, chthonien;*
papille, pupille (pron. **papil, *pupil*) et *papillon, pillage ...*

N.B. **Attention** au groupe **-ti-** prononcé tantôt **-ti-**, tantôt **-si-** :

Nous portions (-ti-), des portions (-si-); garantie (-ti-), facétie (-si-); vestiaire (-ti-), rétiaire (-si-) ...

476. Hésitations – La prononciation de certains mots hésite parfois entre deux ou trois solutions (les dictionnaires ne sont parfois pas d'accord) :

Cheptel hésite entre le *p* prononcé et le *p* muet;
mœurs hésite entre le *s* final prononcé ou non;
loquace hésite entre **koua-* et **ka-; granit* hésite entre *t* final prononcé ou muet; **chenil, baril, nombril, gril ...** hésitent entre *l final* prononcé, ou muet comme dans : **fusil, outil, persil** ...

N.B. Mêmes hésitations dans les **emprunts étrangers**, noms propres ou noms communs :

Buenos Aires, Groenland, Wagram, Waterloo ...; imbroglio, cow-boy, gas-oil, yacht, farniente ...

477. Attention à l'e muet!
Nous savons (cf. § 19) que la voyelle *e* s'élide parfois; mais même écrite, il arrive qu'on ne la prononce pas : on parle alors de «**l'e muet**». On ne prononce pas l'*e* en fin de mot ou à l'intérieur d'un mot, dans, par exemple :

Madam(e); une bell(e) ros(e); une grand(e) av(e)nu(e); Mad(e)moisell(e); il cré(e)ra, pai(e)ra, nettoi(e)ra, avou(e)ra, remerci(e)ment, dévou(e)ment, gré(e)ment...; gai(e)té, gai(e)ment (autrefois *gaîté, gaîment); rou(e)rie, sci(e)rie, soi(e)rie* (mais *voirie,* malgré *voie)...*

Remarques
a) **Attention** aux abus d'élisions de la langue parlée (cf. § 20);

b) Le mot **bonneterie** (écrit avec un seul *t*) se prononce *bonn'tri*, et non *bonètri*; le mot **papeterie** hésite entre *pap't'ri et *papèt'ri.

c) Ne pas oublier l'importance de l'*e* muet en **versification** :

> *L'ombr(e) était nuptial(e), august(e) et solennell(e) (Hugo).*

478. Attention au h aspiré!

On doit dire, par exemple :

> *Un hareng, des harengs, des filets de hareng;*
> *un hasard, des hasards; le handicapé, les handicapés;*
> *le haricot, les haricots; le Hollandais, les Hollandais...*

N.B. Le mot **«hiatus»** (officiellement avec *h* muet) se comporte parfois comme s'il avait un *h* aspiré :

> *L'hiatus (ou le hiatus); le problème de l'hiatus (ou du hiatus).*

479. Attention à la dénasalisation!

Si l'on pense à la formation des **féminins**, on constate qu'un son final nasal **se dénasalise** quand on lui ajoute un suffixe :

> *Gamin, gamine; paysan, paysanne; bon, bonne...*

Mais dans certaines régions (du sud de la France), cette dénasalisation ne se fait pas, et l'on y entend :

> *une an-née* (au lieu de *a-née; cf. un an);
> *une *gran-maire* (au lieu de *gra-maire) d'où le célèbre jeu de mots de Molière sur **grammaire** et **grand-mère**, de prononciation identique ici, dans les Femmes savantes II, 6 :
> «... *Veux-tu toute ta vie offenser la **grammaire**?*
> ... *Qui parle d'offenser **grand-mère** ni grand-père?»*

N.B. Les mots **enivrer, enamourer** ont une prononciation nasale à l'initiale :

> *en-(n)ivrer, *en-(n)amourer (et non *é-nivrer, *é-namourer).

480. Rappel – Les bons dictionnaires donnent la prononciation exacte des mots, et généralement (entre **crochets**) avec les signes fort précieux de l'**alphabet phonétique** (cf. § 4 NB; et ci-après).

L'alphabet phonétique

481. Rappelons ce que nous disions § 4 NB : le français a plus de **sons** que de **lettres** : 36 sons et seulement 26 lettres de l'alphabet officiel ; c'est pourquoi les linguistes, les phonéticiens ont inventé un **alphabet phonétique**, préconisé par l'Association phonétique internationale. En voici le tableau concernant le français :

Sons	Exemples	Lettres
● *Voyelles orales* (simples ou composées) :		
[a] *a* bref	*lac, patte, mangea, moi, moyen, mœlle*	a, (e)a ; oi, oy,œ (= oua)
[a] *a* long	*bas, pâte, paille, douceâtre, froid, poêle*	a, â, a(i), (e)â ; oi, oê (= oua)
[e] *é* fermé	*été, chanter, pays, je chantai, je mangeai, œdème*	é, er, ay, ai, (e)ai, œ
[ɛ] *è* ouvert	*sec, mère, même, Noël, peine, aime, fraîche, j'aimais, jamais*	e, è, ê, ë, ei, ai, aî, ais
[i] *i* bref ou long	*si, île, cyprès, naïf*	i, î, y, ï
[ɔ] *o* ouvert	*note, or, bonne, robe, Paul*	o, au
[o] *o* fermé	*chose, vôtre, autre, eau*	o, ô, au, eau
[u] *ou*	*fou, outil, goût, août*	ou, oû, aoû
[y] *u*	*rue, mur, mûr, il eut, il a eu*	u, û, eu
[œ] *eu* ouvert	*peuple, jeune, bœuf, œil, seuil*	eu, œu, œ(i), eu(i)
[ø] *eu* fermé	*peu, aveu, jeûne, nœud*	eu, eû, œu
[ə] *e* dit «muet»	*me, remis, brebis, tu seras*	e
● *Voyelles nasales* :		
[ɑ̃] *a* nasalisé	*an, champ, en, emballé, engeance, paon, taon, faon*	an, am, en, em, ean, aon
[ɛ̃] *è* nasalisé	*fin, brin, impur, bien, main, saint, faim dessein, syntaxe, nymphe*	in, im, en, ain, aim, ein, yn, ym

Sons	Exemples	Lettres
[ɔ̃] *o* nasalisé	*son, nom, ombre, unguifère, jungle*	on, om, un
[œ̃] *eu* nasalisé	*un, brun, parfum, à jeun*	un, um, eun

● *Semi-voyelles :*

Sons	Exemples	Lettres
[j] *i*	*pied, aïeul, yeux, bail, maille*	i, ï, y, il, ill
[ɥ] *u*	*lui, nuit, huit, puits, huée*	u
[w] *ou*	*oui, fouet, ouest, roi, squale*	ou, oi (= oua), u(a)

● *Consonnes :*

Sons	Exemples	Lettres
[p] *pe*	*peu, père, prendre, apporter*	p, pp
[t] *te*	*tête, toi, théâtre, athée, attente*	t, th, tt
[k] *ke*	*cas, cinq, que, squelette, kilo, accent, archaïque, bacchante*	c, q, qu, k, cc, ch, cch
[b] *be*	*baba, bébé, bonbon, abbé, abbatiale, abbesse*	b, bb
[d] *de*	*dur, dedans, addition, adducteur*	d, dd
[g] *gue*	*goût, vogue, guêpe, gnome, diagnostic*	g, gu, g(n)
[f] *fe*	*fer, fable, phare, physique*	f, ph
[v] *ve*	*valve, verve, aviver, wagon, Wisigoth*	v, w
[s] *se*	*se, ce, leçon, six, ration, rassis, science, sceau*	s, c, ç, x, t(i), ss, sc
[z] *ze*	*azur, zèbre, raison, hasard, sixième*	z, s, x
[ʒ] *je*	*jeu, âge, rangeons, genou, gîte*	j, g
[ʃ] *che*	*chat, chou, archives, shah, schéma*	ch, sh, sch
[l] *le*	*le, la, bal, sale, salle*	l, ll
[r] *re*	*rare, rire, arrêt, terrain*	r, rr
[m] *me*	*me, maman, grammaire, mammifère*	m, mm
[n] *ne*	*ne, ni, non, nenni, naine, canne*	n, nn
[ɲ] *gne*	*digne, peigne, agneau, baignade, besogne*	gn

482. Remarques

a) A ces 36 signes, on peut ajouter le signe [ŋ] qui représente les lettres **ng** fréquentes dans les mots anglais en **-ing** comme :

> Camping [kăpiŋ]; caravaning [karavaniŋ]; ring [riŋ]...

b) Les signes phonétiques se présentent obligatoirement entre **crochets droits**; il en est de même pour les mots entiers reproduits en transcription phonétique; en voici quelques exemples :

> grammaire [gramɛr]; préface [prefas]; épigraphe [epigraf];
> préliminaires [preliminɛr]; phonétique [fɔnetik];
> vocabulaire [vɔkabylɛr]; morphologie [mɔrfɔlɔʒi];
> syntaxe [sɛ̃taks]; appendices [apɛ̃dis]; index [ɛ̃dɛks];
> table des matières [tabl de matjɛr]

c) Le signe qui surmonte les voyelles nasales n'est pas un accent circonflexe, mais une sorte de S couché, qu'on appelle un **«tilde»,** signe espagnol qu'on rencontre sur la consonne *n* (ñ) pour donner en espagnol un son «mouillé» :

> España, cañon, niño (enfant) (= *Espagna, *canion, *ninio).

d) Les bons dictionnaires modernes donnent pour chaque mot la transcription phonétique, bien utile par exemple :

● pour distinguer les semi-voyelles *i* [j], *u* [ɥ], *ou* [w] des simples voyelles *i* [i], *u* [y], *ou* [u] :

> pied [pje], sire [sir]; nuit [nɥi], rue [ry]; ouest [wɛst], outil [uti];

● pour connaître la prononciation exacte de tel on tel mot (§ 473 sq) :

> ex. : ch dans archive [arʃiv] et archaïque [arkaik];
> ex. : gn dans peigne [pɛɲ] et ignifuge [ignifyʒ].

Index alphabétique

G

gageure : 474
gallicisme : 183, 296NBb, 419-421
gemmail : 56a
genre (voir espèce)
genre : 48, 49 sq, 52 sq (passim)
gérondif : 170, 234 sq
gens : 57f, 457b
gésir (gisant) : 440b
glissement (de sens) : 39, 339, 410NB
gradation : 277, 470
grammaire : 43, 44 sq, 479
grand-mère : 106d, 479
gré (savoir) : 428c
groupe de l'adjectif : 325, 327 sq
groupe de l'adverbe : 245, 248, 326
groupe de mots : 10, 33
groupe du nom : 287 sq
groupe du pronom : 323-324
groupes (du verbe) : 163-164, 431
groupement de mots : 30-31
guillemets : 14

H

h (muet, aspiré) : 6b, 61, 62, 64, 75a, 478
habitude : 76
haïr : 431b
hébreu (hébraïque) : 105b
hésitations : 54b,c, 56d, 58c, 114b, 476
hiatus : 478NB
homographes : 34c
homonymes : 34b,c
homophones : 34b, 54a
horreurs : 427e
(h)uitante : 92c

I

identité : 69a, 81, 87
ignorer (*sans) : 264c, 427e
il y a : 297, 419, 421a, passim
image : 39d

imboire (imbu) : 440b
imparfait : 189-191, 214 sq, 411 sq
impartir : 440b
impératif : 170, 208 sq, 433e
impersonnel : 179b, 437 sq
incise (intercalée) : 363, 366
inclure (voir clore)
incorrect : 237, 264c, 427e, 472NB
indépendante : 357 sq
indicatif : 170, 186 sq
indignation : 207f, 218, 224, 278₁
infinitif : 170, 220 sq
insistance : 128cNB, 278₁, 422, 470
intention : 227
intercalée (incise) : 363, 366
intérêt : 304a
interjection : 213, 282 sq, 335b
interpeller : 431a
interrogatif
   adjectif : 85 sq
   adverbe : 265
   pronom : 149 sq
   tour : 12, 180, 182-183
interrogation (directe, indirecte) : 86, 150b, 381 sq
interro-négatif : 180, 182
intonation : 12 sq, 183a, 284NB, 382
intransitif : 167
invariables : 9, 238 sq
inversion : 382, 383a
invitation polie : 213
irréel : 402-403
irrégulier : 118a, 121d
irréguliers (verbes) : 164b
issir (issu) : 440b

J

jadis : 255b
jamais : 181, 263
jeux (de mots) : 42, 276, 306bNB, 479
jovial : 109b
jungle (prononc.) : 474
jurons : 42, 283e,f, 284
jusque : 19
juxtaposé(e)s : 343, 358

L

l final : 476
labiales : 5
laïc (laïque) : 105b
lancement (en tête) : 422
langue : 1 sq
    archaïque (voir archaïsme)
    écrite, parlée : 12 sq, 192, 193,
    356
    judiciaire : 90, 233a
latin : 23 sq, 241a
laudatif : 63, 69c, 80, 88, 140d
ledit : 433f
lèse (adj. fém.) : 457h
lettres et sons : 1 sq
lez (lès, les) : 268a
liaison : 15 sq
lieu : 250 sq, 310, 322
locutions : 31, 47b
    indéfinies : 82, 145
    interrogatives : 149, 421a
    verbales : 31, 70, 177, 421a
l'on : 146b
loquace (prononc.) : 476
lorsque : 19

M

mais : 276, 277
majuscule : 2, 46, 426
malgré : 267, 319
malgré que : 398b
mangé (aux mites) : 302bNB
manière : 240 sq, 313
(de) manière que : 391, 396NB
marrir (marri) : 440b
marron : 114d
masculin (voir genre)
matière : 322
maudire (maudit) : 431b, 433f
méchant : 39g
meilleur : 118a, 121d
même : 470
-ment (faux suffixe) : 240

messeoir (voir seoir) : 440b
métaphore (voir image)
meurtrir : 39g
mieux : 244NB
modes : 169-170, 186 sq
moelle (prononc.) : 474
mœurs (prononc.) : 476
moindre : 118a, 121d
monosyllabe : 8
morphologie : 9, 44 sq
mort-né(e)(s) : 114b
mot : 7 sq
mots croisés : 42
mots-phrases : 33
moyen : 314
muette (finale) : 58a, 476
muscle : 37, 38

N

n' : 264d
nage (en) : 42
naguère : 255b
narration (indicatif, infinitif) :
    188c, 199e, 224
nasales : 4 sq, 479
ne : 19, 261 sq
ne explétif : 264a, 377a, 386NB,
    392c, 395b, 404NB
négatif (tour) : 180-183
négligences : 20, 273, 427E
néologismes : 42, 164a
ne ... que : 264b
neutre : 52, 112c, 118aNB, 121d,
    122, 124NB, 127-128, 129f, 131a,
    138a, 140e, 144, 150a, 297, 353b,
    383d, 442b, 451d, 457,e,fNB,g
ni : 264e, 278$_3$
ni l'un ni l'autre : 443
nom
    commun, propre : 46, 56e, 66a
    composé : 56c
    concret, abstrait : 47a
    de chose : 52 sq
    fonctions : 293 sq
nom verbal : 220

TABLE

Formation Parascolaire

Parascolaire/Formation permanente

Vie professionnelle

Langues

Livre + **Cassette "Audio"**

IMPRIMÉ EN FRANCE PAR BRODARD ET TAUPIN
6236B-5 - Usine de La Flèche (Sarthe), le 15-09-1989.

pour le compte des
Nouvelles Editions Marabout
D.L. septembre 1989/0099/201
ISBN 2-501-01109-0